MONSIEUR HONDA

© Éditions Robert Laffont, S.A., Paris, 1993
ISBN 2-221-07332-0

MONSIEUR
HONDA

TEL QU'IL S'EST RACONTÉ À
YVES DERISBOURG

Préface de Hirotoshi Honda

ROBERT LAFFONT

Il faut être le Napoléon de quelque chose.

Balzac

PRÉFACE
de Hirotoshi Honda

Si l'histoire de Soichiro Honda est exceptionnelle, être son fils est aussi un destin hors du
commun. Je suis né pratiquement en même temps
que la Honda Motor, moment à partir duquel mon
père a passé plus de temps dans les bureaux
d'études et les usines qu'au foyer familial. Comme
tout homme japonais né sous l'ère Meiji, mon père
avait un esprit de chef de famille affirmé, mais il
me faut reconnaître qu'il a été le grand absent de
mon enfance. Lorsque je plonge dans mes souvenirs d'enfant, je retrouve immédiatement le visage
de ma mère et rarement celui de mon père. Tout
de même, je me souviens d'être allé faire du ski
avec lui et d'avoir assisté à des courses de motos en
sa compagnie.

Dans le livre d'Yves Derisbourg, mon père vous
fait lui-même découvrir l'inventeur, le génie de la
mécanique et aussi l'extraordinaire méthode qu'il
a appliquée au développement de la société
Honda. L'œuvre d'un homme peu ordinaire
comme me le faisaient déjà remarquer mes amis à

7

l'école. Ils me disaient tous que leur père était moins drôle que le mien. C'est vrai que Soichiro Honda avait une tournure d'esprit qui le poussait à prendre beaucoup de choses au second degré et à faire sans arrêt des plaisanteries. Il paraît que j'ai hérité de cette manière d'être...

Cette apparente bonne humeur et cette réelle joie de vivre ne voulaient pas dire pour autant que mon père était un homme facile à vivre. Nos nombreux points communs rendaient parfois nos rapports difficiles car, étant jeune, mon père représentait pour moi un rival avec lequel j'avais parfois des altercations violentes. Sa grande sagesse lui permettait d'oublier plus vite que moi ces fréquents différends. A l'âge de vingt-cinq ans, je suis tout de même parti de la maison, brouillé avec mon père.

Il était peut-être temps que je me fasse un prénom. En fait, si aujourd'hui je parle aussi librement de ces relations tendues avec mon père, c'est parce que je sais que de toute façon elles cachaient l'énorme admiration que j'avais pour lui et pour ses principes de vie.

Parmi les grands principes que mon père appliquait, il en est un auquel il n'a jamais failli : faire une séparation totale entre la vie privée et les affaires. Si certains pouvaient croire que j'étais un fils à papa qui changeait de voiture ou de moto quand il le voulait, ils se trompaient. Pour avoir le plaisir de conduire une Honda, j'allais l'acheter comme tout le monde chez un concessionnaire, au tarif normal. Quand j'ai terminé mes études de design industriel, j'ai créé ma propre société, Mugen (qui signifie « Sans limites »), spécialisée dans la préparation de moteurs Honda pour la conduite sportive et la compétition. Aujourd'hui, Mugen conçoit également des accessoires aérodynamiques pour les voitures Honda et fabrique des moteurs de Formule 1. Nombreux furent ceux qui, à tort, crurent que Mugen était une filiale de la Honda Motor.

Tout comme mon père lorsqu'il créa, en 1948, la Honda Motor, j'ai toujours voulu être totalement libre et ne dépendre de personne. Au moment où j'ai créé Mugen, les rapports avec mon père étaient redevenus normaux, nous nous étions enfin retrouvés. Mon père était à la retraite, si tant est que l'on puisse dire qu'un homme qui s'occupe d'une Fondation et saute dans un avion toutes les semaines soit un retraité, et il profitait de ses moments de liberté pour s'évader avec moi, entre hommes. Nous prenions mon grand camping-car et partions tous les deux sur les routes de campagne à la recherche de paysages. Quand la nature nous paraissait belle, nous nous arrêtions et plantions nos chevalets pour peindre. Cette période fut vraiment très agréable car nous discutions beaucoup ensemble, de tous les sujets possibles et imaginables, mais surtout de ceux qui touchaient à nos passions communes, la mécanique et la compétition automobile.

Quand on me demande aujourd'hui quel est le

secret de la réussite de mon père, je crois que c'est un mélange de bon sens et de respect de la liberté d'autrui. Si mon père est une des personnalités ayant réussi au lendemain de la guerre, c'est en partie parce qu'il avait compris que ce qui était important c'était la liberté et aussi le pouvoir de montrer l'exemple aux autres.

Aujourd'hui, le Japon traverse une crise économique dure, mais la Honda Motor résiste bien, comme toutes les sociétés montées intelligemment, petit à petit, sans prétentions trop rapides. Je respecte beaucoup cette méthode de réussite qui n'a rien à voir avec les spécialistes de la spéculation qui font des fortunes rapides, comme dans l'immobilier des années 80, sans aucune valeur ajoutée et qui n'enrichissent en rien l'économie de leur pays.

Soichiro Honda était un être obstiné, un homme simple, sans prétentions intellectuelles, mais qui a toujours agi en respectant la liberté d'autrui.

Je vous laisse maintenant le découvrir ainsi que sa deuxième famille, la Honda Motor, et ses autres enfants, les mille et un engins et moteurs de sa conception.

HIROTOSHI HONDA

1.

HAMAMATSU 45 ANS APRÈS

La voix nasillarde du haut-parleur me fait sursauter. Elle égrène son message en japonais puis en anglais.

« Chers passagers, nous vous signalons que notre train arrivera en gare d'Hamamatsu dans deux minutes. Nous espérons que vous avez apprécié ce voyage en Shinkansen et que nous aurons le plaisir de vous revoir prochainement sur nos lignes. »

Dès la fin du message, un compte à rebours s'affiche sur des écrans lumineux placés à chaque extrémité du wagon.

120 secondes : top chrono. Le moment tant attendu approche. Dans ce train à grande vitesse, je réalise, le cœur battant, que je vais enfin débarquer dans le saint des saints : Hamamatsu, lointain morceau de banlieue situé à quelque cent quatre-vingts kilomètres de Tokyo. C'est la préfecture de la région de Shizuska, mais surtout le berceau de l'empire édifié par Soichiro Honda. C'est ici que tout a commencé, le 24 septembre

1948 ; date de naissance de la « Honda Motor Company ». Près de quarante-cinq années se sont écoulées, et me voici enfin sur place.

M. Honda, au cours de l'une de mes visites, me conseilla d'aller visiter la ville d'Hamamatsu, sa région et l'usine :

« Vous comprendrez mieux qui je suis. »

Curieusement, cette ville-dortoir compte beaucoup d'ouvriers et d'employés de la firme et bon nombre de cadres travaillant quotidiennement dans la capitale. Premier anachronisme : les rues sont envahies de bicyclettes et autres cyclomoteurs. L'automobile, omniprésente dans les rues de Tokyo, paraît ici presque absente, et quelle ne fut pas ma surprise en découvrant au détour d'une rue un concessionnaire Renault-Volvo !

Quelques minutes plus tôt, c'est en lisant les panneaux de la gare indiquant Hamamatsu que je m'étais souvenu de mes impressions d'enfance et plus particulièrement de ces inscriptions tamponnées sur les caisses fraîchement débarquées de Hambourg, et qui s'entassaient au début des années soixante dans la succursale Honda France créée en 1964 par mon père, qui importait depuis 1962, par le biais de sa société « Actif », des motoculteurs Honda.

A ce moment-là, le mot « protectionnisme » ne se conjuguait pas encore avec « invasion ». Le Japon s'affichait, dans toutes les mémoires, comme le pays des deux villes martyres de l'ère nucléaire et pas encore comme le théâtre d'une nouvelle explosion : technologique cette fois. Au pied du Fujiyama (les Japonais disent plutôt Fujisan), des milliers de « fourmis », pas prêteuses comme chacun sait, s'activent à fabriquer quantité de transistors, appareils photos, minitéléviseurs, tourne-disques.

Reconstruire, disent-elles : la nouvelle religion nipponne dépasse peu à peu le cadre insulaire et s'exporte de plus en plus. Des économistes distingués parlent désormais du « miracle japonais ».

Ému, je me souviens des premiers motoculteurs, des premières motos flamboyantes au rugissement si doux. Mon père, en premier de cordée, s'était rendu au Japon comme on part aujourd'hui à la conquête d'un sommet himalayen. Ses voyages étaient préparés à la manière des expéditions. En 1966, le trajet s'effectuait en DC8. Au programme : deux escales de plusieurs heures chacune. Pas évident, même pour les organismes les plus robustes. Pendant son premier séjour, il tenta de nous faire partager ses sensations au téléphone, mais sans succès. La communication était difficile à obtenir. Cela ne faisait qu'accroître notre impatience et notre imagination. Qu'allait-il ramener du pays des sept samouraïs ?

Mille et un récits agrémentés de souvenirs, aussi humbles soient-ils, emballés avec la méticulosité qu'apportent certains joailliers pour des bijoux valant plusieurs milliers de dollars. Ce petit détail laissait présager ce que pouvait signifier, pour les Japonais, la notion de qualité appliquée au quoti-

13

dien jusque dans leurs actes les plus infimes. Mon père revenait fatigué mais toujours enthousiaste. Pénétrant pour la première fois dans une de leurs usines, il avait été frappé par le fait que tous les personnels, et même les visiteurs, étaient tenus d'arborer combinaison blanche et casquette aux couleurs de la compagnie. Honda brillait en lettres pourpres sur tous les fronts. Un badge cousu côté cœur permettait l'identification individuelle. Pour les Européens (notamment les Français) de passage chez Honda, cette pratique faisait évidemment sourire. J'imaginais mon père, toujours tiré à quatre épingles, troquer au vestiaire son costume en alpaga pour une tenue d'ouvrier.

Autre surprise de taille : la rencontre au détour d'une chaîne du « big boss », les mains plongées dans un moteur, étudiant avec un soin jaloux, jusque dans les moindres détails, la mise en place d'une unité de production. Quelque chose d'impensable en France où ce geste est encore, pour beaucoup, synonyme de paternalisme patronal. Comment interpréter cette attitude du président fondateur de la société qui, à plus de cinquante ans, se comporte de la même manière qu'à ses débuts ?

Vu du Japon, et plus précisément d'Hamamatsu, une des premières usines construites (en 1954) par Honda, on perçoit mieux « l'esprit » d'entreprise. L'endroit est à l'image de son créateur. Les 4 500 employés travaillant dans cette enceinte de 212 000 m^2 participent à la fabrication

14

de cyclomoteurs, de moteurs, de motoculteurs, de générateurs, de boîtes de vitesses automatiques et enfin de moteurs hors-bord. Tout fonctionne ici par rapport à la notion de groupe. Les salariés sont organisés, comme dans toutes les entreprises japonaises, en des sortes de classes d'âges définies non par leur date de naissance, mais en fonction de leur ancienneté, et qui correspondent à des capacités précises.

A l'entrée du bâtiment principal, le bureau d'accueil donne le ton. L'un de ses murs est recouvert d'une mappemonde en aluminium truffée de points lumineux. Selon la couleur, ces points indiquent la localisation des usines ou sièges du groupe à travers le monde. Surmontant le tout, une série de six horloges affichent l'heure des principales capitales de la planète. Chez Honda on ne s'arrête jamais de travailler depuis 1948. Curieusement, cinq points sont affichés à l'entrée. Ils ne sont pas sans rappeler les cinq articles de l'empereur Mutsuhito. Synthèse parfaite de la politique d'entreprise instaurée par Soichiro Honda qui se résume en cinq points ou commandements :

1. Agir avec la foi et l'enthousiasme de la jeunesse.

2. Fonder son activité sur une méthode, rechercher et développer les idées nouvelles, utiliser son temps à « plein régime ».

3. Travailler heureux et rendre souriant l'univers du travail.

4. Lutter constamment pour garantir un volume de travail harmonieux.

5. Être toujours pénétré de la valeur irremplaçable de la recherche et de l'effort.

Voici donc la recette miracle instaurée depuis le premier jour par cet homme étonnant. Je me souviens de la première fois que je le vis : c'était sur une photo où il se trouvait à côté de mon père.

La première chose qui surprit l'enfant que j'étais était son sourire, et plus j'appris à connaître les Japonais, plus je me rendis compte que Honda San était un Japonais hors du commun. Par rapport à la sobriété du mouvement habituelle aux autres habitants de l'archipel nippon, la gestuelle de Soichiro Honda pouvait paraître des plus étonnantes. Quand il parle, c'est le plus souvent en ponctuant chaque phrase de gestes plus proches de l'enthousiasme italien que du flegmatisme nippon.

Même quand il écoute, il tient à faire savoir à son interlocuteur l'intérêt qu'il lui porte en dodelinant de la tête, d'avant en arrière.

Le plus formidable chez M. Honda, c'est son extraordinaire bonne humeur et son amour des bons mots : tout est prétexte à faire une pointe d'humour, un « joke » comme disent les Anglo-Saxons.

Ses costumes gris sombre de businessman ne semblent pas être d'un confort qui lui convient. Dès qu'il franchit la porte de son domicile, son premier geste consiste à se changer pour se retrou-

16

ver enfin à l'aise dans un vaste kimono traditionnel ou un survêtement.

L'une des fois où il me parut le plus à son aise, c'était lors d'un grand prix de Formule 1, à Suzuka : il était en chemisette et blouson de sport argenté aux couleurs de sa compagnie, sans oublier l'éternelle casquette maison vissée sur son crâne qu'il eut très tôt dégarni.

Sa démarche est des plus étonnantes : il ne marche pas, il bondit d'un point à un autre, et toutes les parties de son corps participent au déplacement !

C'est cet homme à l'œil malicieux qui, tout au long de sa vie, appliqua à la lettre les cinq commandements qui devinrent une véritable stratégie.

Lorsqu'il fonda la société avec son associé et ami Fujisawa, ils s'étaient concertés pour définir ce que l'on appelle aujourd'hui une stratégie ; pour la servir au mieux il importait de coucher sur le papier quelques valeurs, bref, une ligne de conduite que chaque employé devait évidemment adopter. Eux-mêmes n'ont jamais dérogé à ces principes et sont d'ailleurs partis à la retraite en 1973 pour être totalement en accord avec le point n° 1. A près de soixante-dix ans, le temps était venu de laisser la place à des responsables plus jeunes. Dès lors, M. Honda ne s'est pas contenté de rester consultant de la firme en tant que « Supreme Advisor » : il a tenu à s'occuper des problèmes liés à l'environnement à travers la fondation Disco-

17

veries qu'il créa pour occuper sa deuxième vie.

L'environnement a toujours été un sujet de préoccupation pour Soichiro Honda, y compris les problèmes d'environnements sur le lieu de travail.

De fait, en visitant l'usine d'Hamamatsu, on ne se retrouve guère dans l'univers des *Temps modernes* décrit par Chaplin. Ce diable d'homme a pris soin d'aménager ses usines en fonction du travail de ses employés. Un ouvrier n'occupe jamais une position fatigante ni répétitive. L'opération ou le contrôle qu'il effectue se situe à une hauteur optimale afin de lui éviter tout inconfort. L'ergonomie est un des secrets de la bonne ambiance de travail.

Les discussions entre les membres de la même équipe sont monnaie courante. Chacun tente à son niveau d'apporter des solutions positives. En général, ces discussions se tiennent pendant les pauses de quinze minutes (toutes les deux heures) dans l'aire de repos mise à leur disposition. Chaque équipe possède une surface de 30 m^2 aménagée en toute liberté.

Détail amusant, on peut découvrir au détour d'un atelier une sorte de jungle, avec lianes et arbres exotiques, sans oublier le gazon synthétique et les fauteuils en rotin.

L'initiative personnelle au service du collectif, tel est le leitmotiv en ce lieu. Il suffit pour s'en convaincre de simplement regarder, et pour mieux comprendre de se rappeler les propos que me tenait Soichiro Honda, quelques jours auparavant lors de l'une de nos entrevues au siège de Honda Motor à Tokyo.

Ce matin-là, nous avions rendez-vous au Aoyama Honda Center, l'un des plus beaux buildings de la ville édifié face au palais impérial, sur Aoyama, les Champs-Élysées locaux. Les dernières nouveautés de toutes les gammes de voitures construites par la firme, plus rutilantes les unes que les autres, trônent dans le « showroom » qui occupe la totalité du rez-de-chaussée. Le grand public se presse même le dimanche dans cette immense vitrine afin d'assister, sur écrans géants, aux courses internationales comme le championnat du monde de Formule 1 ou les grands prix motocyclistes.

Mais ce matin-là il règne une ambiance plutôt fébrile dans l'entrée principale de l'immense bâtiment. Aux abords des ascenseurs réservés au personnel, l'hôtesse veille au grain. Plantée derrière une baie vitrée, elle contrôle « l'accès visiteurs » du parking intérieur et bloque l'accès aux étages. Très vite, la rumeur se répand parmi les employés :

— Oui, c'est vrai ! Il va venir aujourd'hui... Honda San a rendez-vous avec un invité français...

J'attends en effet celui que l'on surnomme ici Oyaji San : tout à la fois l'homme qui rit, le grand-père turbulent et surtout le fondateur de la marque; l'homme dont le nom s'imprime un peu partout sur la planète, en aussi gros caractères que Coca-Cola ou Marlboro, M. Soichiro Honda. Il arrive. Le ton monte d'un cran parmi les membres du service de sécurité, qui multiplient dans leur talkie-walkie les appels à la vigilance, tandis qu'un peu anxieux je fais les cent pas dans le parking où une « Legend » noire métallisée doit arriver d'un instant à l'autre. Il s'agit bien sûr de la voiture du boss ou plutôt du « Supreme Advisor ».

Flash-back : voilà plus de six ans que je ronge mon frein. Il a fallu des mois de négociations pour le convaincre au hasard de mes déplacements au Japon ou en Europe. Chaque fois que j'avais le bonheur de le croiser, je lui posais toujours la même question :

« Acceptez de me raconter votre vie... »

Invariablement, il répondait non en dodelinant de la tête, sans se départir de son sourire lumineux, s'aidant souvent de ses mains légères comme des ombres pour ponctuer ses propos :

« Vous savez, lorsqu'on dit Honda on pense avant tout à la marque et à tous ceux qui travaillent pour elle. Mieux vaut parler de tous ceux qui œuvrent quotidiennement pour la firme plutôt que d'un vieil homme... »

Excès de modestie ? Pas vraiment. Cette figure de légende a toujours fait preuve d'une propension à l'effacement.

Difficile dès lors de faire irruption dans son univers. Pas facile, non plus, d'apprivoiser son entourage. Un beau jour de décembre 1990, il finit pourtant par accepter. La scène s'est déroulée à l'aéroport de Roissy, quelques minutes avant le décollage de l'avion en partance pour Tokyo. Accompagné de sa femme, Soichiro Honda ne manqua pas de sourire en voyant mon père lui réitérer ma demande. J'avais cette fois préparé un argument qui s'avéra décisif.

« Savez-vous que, depuis le décès d'Enzo Ferrari, vous êtes l'ultime constructeur automobile vivant, le dernier des géants en somme... »

La phrase s'était perdue dans le tumulte ambiant. Il marqua un temps de réflexion : une éternité. Puis il sourit à nouveau, avant de lancer à la manière américaine :

« O.K. ! »

Dès lors, ce fut un échange ininterrompu de courrier et autres fax entre Paris et Tokyo. Il convenait de mettre au point l'organisation de nos entretiens, prévus pour mai et juin 1991 avec l'aide du service des relations presse de la société, le moindre détail étant réglé par le secrétaire particulier de Honda San, avec une méticulosité toute nipponne, comme s'il s'était agi du déplacement d'un chef d'État. Pas moins de cinq mois furent nécessaires à la préparation de ces entretiens et visites d'usines.

Il débarqua un après-midi de mai dans l'immeuble qui symbolise toute la puissance du groupe qu'il créa en 1948. Ce fut d'ailleurs la dernière fois qu'il y fit son entrée.

A la surprise générale, M. Honda fit une entorse au protocole dès notre premier entretien. Toute la rencontre était déjà planifiée quand il décida soudain de bouleverser l'ordre de visite du building. Le Supreme Advisor, d'un pas résolu, se dirigea vers le hall d'exposition, tandis que son attaché de presse tenta trop tard de le faire changer d'avis.

« Elle est belle, n'est-ce pas ? lança-t-il à la cantonade en contemplant la dernière création de la marque. Il s'agit de la Beat, minivoiture de sport décapotable de trois mètres de long, biplace, entraînée par un moteur de 660 cm^3.

« Cette voiture me rajeunit ! »

Honda San m'expliqua ensuite que cette petite dernière est la digne descendante des S500 puis des S600 et S800, premiers cabriolets commercialisés dans les années soixante, véritables petits bolides au tempérament de feu. Leur conception était issue des techniques réservées à la compétition. La mécanique, assez pointue, ne pardonnait aucune indélicatesse de la part de conducteurs inexpérimentés. Ces voitures font encore l'admiration de quelques nostalgiques. Il faut admettre que la Beat est tout de même plus civilisée.

Poursuivant sa visite il m'avoua :

« J'adore venir dans ce showroom, me mêler au public. J'essaie de comprendre ce qui motive les clients, pourquoi mes voitures peuvent retenir l'attention. Quand j'étais encore en activité, je les questionnais sans cesse afin de mieux cerner leurs attentes. On apprend beaucoup de cette manière. Je dirais même que c'est indispensable à ceux qui veulent créer des engins aptes à plaire au public. On ne doit pas se contenter de réalisations nées uniquement de cerveaux d'ingénieurs dans des bureaux d'études, car ils réfléchissent à la place du consommateur. L'une des clefs de la réussite de la Compagnie Honda a consisté à demeurer à l'écoute de ceux qui y travaillent et de ceux qui la font vivre : les consommateurs. »

Honda San s'immobilise ensuite devant la voiture que la presse mondiale a surnommée la « Ferrari nipponne » : la NSX, petit bijou doté des derniers perfectionnements technologiques et pièce maîtresse du constructeur.

« Je l'ai conduite sur le circuit de Suzuka, mais aujourd'hui c'est fini. Je suis trop vieux. J'ai même rendu mon permis de conduire pour ne pas être tenté... Conduire des engins de cette sorte n'est vraiment plus de mon âge. Ma femme n'est plus d'accord. J'ai eu tellement d'accidents dans ma jeunesse : en voiture, à moto, en avion... Maintenant il faut que je me calme... »

Honda San ouvre néanmoins la portière et se carre au volant.

« Ah ! C'est la version boîte automatique... Un nouveau modèle. Je l'aurais bien essayé, pour voir... »

Incorrigible Soichiro Honda ! Pendant ce temps, son attaché de presse s'inquiète du temps qui passe et me glisse à l'oreille :

« Il faut se dépêcher, nous allons dépasser l'horaire prévu pour l'entretien, et M. Honda va se fatiguer ! »

Fatigué, Soichiro Honda ? Il a plutôt l'air alerte et heureux. On dirait un enfant dans un magasin de jouets. Il met à profit cet intermède pour bondir hors de la NSX et prend, d'un pas martial, la direction du podium central où trône la déjà mythique Mac Laren Honda d'Ayrton Senna, celle-là même avec laquelle le virtuose brésilien empocha le titre de champion du monde de formule 1.

« Number one ! » commente avec un fin sourire Honda San, pointant le pouce vers le haut, à la manière du champion effectuant son tour d'honneur.

Après une pause, il me confie plus sérieusement, à voix basse, tout en scrutant sur le mur un portrait de Senna :

« Voilà à coup sûr mon pilote préféré. Aucun champion automobile ne m'a jamais procuré une telle joie pendant un grand prix. Il calcule tous les risques tout en s'approchant dangereusement des limites que s'imposent les autres concurrents. Par moments, il me rend nostalgique et m'invite, sans le savoir, à me replonger dans mes propres souvenirs de jeune pilote un peu trop fougueux. J'ai participé à des courses au volant de voitures construites par mes soins. J'ai naturellement rencontré sur ma route beaucoup d'obstacles. J'insiste sur le fait que je n'ai pas connu autant de succès que Senna, mais c'est en tant qu'ancien pilote que j'avoue mon affection pour ce champion sans égal, il faut l'avouer. Je ne déteste d'ailleurs pas discuter avec lui. Je l'ai rencontré il y a peu à Paris, lorsqu'on lui a décerné le titre et remis la médaile de champion du monde. M. Balestre, président de la Fédération internationale du sport automobile, m'a remis pour l'occasion la médaille d'honneur de la FISA, afin d'honorer, m'a-t-il dit, ma carrière de constructeur :

« Nous étions, Ayrton et moi, plutôt émus. J'ai ressenti une étrange impression, coincé que j'étais dans mon smoking, sous les lambris de l'Automobile-Club de France, place de la Concorde. Ayrton avait quitté pour une fois sa combinaison de pilote, et moi j'avais laissé au vestiaire mon blouson de supporter. Nous aurions préféré nous retrouver dans l'ambiance des circuits, qui sont toute notre vie. Je pense qu'Ayrton n'a pas d'autre raison d'être. Vivre avec une telle intensité n'est pas chose courante. Il faut avoir vécu cela pour saisir l'esprit qui règne sur les circuits. Je ne sais comment l'expliquer : une sensation étrange faite d'odeurs, de bruits, d'angoisses aussi. Désormais je ne peux plus m'aventurer sur les circuits autant que je le souhaiterais... sauf pour le grand prix du Japon à Suzuka, circuit que j'ai d'ailleurs créé en 1964. Il appartient à la société. Le reste du temps, je me contente de suivre la compétition devant mon poste de télévision. Et même là, c'est une épreuve. Il y a la même anxiété dans l'air, mais sans l'ambiance. »

2

L'ÉCOLE BUISSONNIÈRE

Adolescent, Soichiro adore confectionner de nombreux objets destinés à ses jeux turbulents, du sabre de bois à la fronde, puis, plus difficile, du bateau à roue au cerf-volant. Cela étant fabriqué à l'aide d'un simple canif façonné par ses soins. Initié par le patriarche de la famille au respect des traditions séculaires, le jeune galopin hérite très tôt de l'habileté du père. Dès qu'il obtient un sou à l'occasion de son anniversaire ou d'une récompense, il s'achète non pas des bonbons mais le matériel nécessaire au parfait apprenti inventeur, préférant s'attacher à des mécanismes de plus en plus compliqués qu'à ses devoirs d'écolier.

C'est à l'époque où s'achève l'ère Meiji qu'il entre à l'école primaire du village.

Les jours de rédaction, il fait l'école buissonnière. Il va même avancer d'une heure le coup de gong de l'horloge du temple afin d'éviter l'épreuve :

« J'ai ainsi déréglé les habitudes du village tout

27

entier. Je suis certain que des gens sont passés à table avec une heure d'avance. Naturellement le bonze et mon maître se sont concertés pour étudier la punition qui convenait. Surpris par tant d'audace et une telle mise en scène, ils ont fait mine d'être fâchés et m'ont laissé seul, debout, hors de la classe, durant le cours. J'ai ainsi échappé au supplice, bien plus grand à mes yeux, de l'examen écrit. »

L'année scolaire débutait en avril, au moment où les cerisiers étaient presque en fleur. Tous les matins, les élèves des six classes se mettaient en rang dans la cour, répertoriés par âge. Ils s'inclinaient devant l'empereur et l'impératrice dont les photos trônaient dans le hall d'entrée.

« C'était une véritable école de campagne entièrement construite en bois avec ses tableaux noirs et ses odeurs d'encre caractéristiques à toutes les écoles du monde. Dès mon arrivée dans la salle de classe, j'ai bien pris soin de ne pas attirer l'attention du maître, en cherchant l'angle propice qui me permettrait d'échapper à son regard. J'évitais la fenêtre également. Un endroit stratégique pour les rêveurs comme moi mais par trop voyant. Pas question non plus de prendre place dans les derniers rangs, habituellement réservés aux paresseux. Il convenait d'occuper un pupitre situé vers le milieu de la salle et légèrement en biais par rapport au bureau du maître. Plus tard, nous étions placés selon le classement. Il m'a donc fallu revoir toute ma stratégie. Les derniers passaient au premier rang et inversement. »

Doué pour le dessin, le chant et les mathématiques, l'élève Honda se distingue aussi par ses talents de faussaire.

« J'accumulais les mauvaises notes dans les matières qui ne m'intéressaient guère. Si bien qu'une fois j'ai eu l'idée de reproduire le sceau de la famille qui devait être apposé par mon père après consultation de mon carnet de notes. Mes camarades les plus proches me demandèrent évidemment d'imiter leur propre sceau, et je devins à la fois expert et vite repérable. Je m'étais contenté d'inverser le dessin, et bien naturellement certaines lettres se sont retrouvées à l'envers. La supercherie n'a pas duré très longtemps et j'avouais ma faute ; ce qui m'épargna une lourde punition. Là encore on salua mes qualités de bricoleur, mais pas en tant que faussaire. »

En revanche, il ne manque pas un seul cours d'histoire lorsque est évoquée l'épopée napoléonienne. Il boit alors les paroles du maître. Il connaissait déjà ce héros occidental au temps où son père martelait le fer en chantant le refrain d'une chanson qui disait à peu près ceci :

> Regarde la France, Napoléon
> Au vent de la Corse,
> Une fenêtre cassée,
> Une pluie de printemps.

« Le père fredonnait quotidiennement cette chanson. Je m'en souviens encore. Pas facile de la chanter intégralement. A la maison, toute la famille connaissait Napoléon. On l'admirait parce qu'il avait réussi à conquérir les grands espaces inconnus de nous tous, franchissant avec son armée et ses canons des montagnes beaucoup plus hautes que celles du Japon. De plus, il avait un grand nez, une drôle d'épée et surtout un chapeau bizarre. Il était fort, et je voulais devenir l'un de ses chevaliers. Il avait valeur d'exemple pour nous car il était issu d'une famille pauvre et, malgré cela, il avait vaincu les plus puissants d'Europe. Autre aspect à ne pas négliger : c'était un insulaire. Nous avons cherché longtemps sur les cartes l'endroit où se trouvait la Corse. En vain. Une île trop petite sans doute pour retenir l'attention des géographes. Mon père, conforté par ce que m'avait appris le maître, m'a déclaré solennellement : " Plus tard, il faudra que tu sois un homme célèbre et puissant comme lui. " »

Riant à gorge déployée, il m'avait aussi confié à l'oreille :

« Je pense que je n'arrive pas encore à la hauteur du Napoléon que j'ai admiré dans mon enfance. »

Le sentiment de Soichiro à l'égard de Napoléon n'a jamais varié. Au début du siècle, pour beaucoup d'enfants japonais, l'Occident avait une « barbe blanche », selon l'expression favorite de Soichiro.

30

L'ÉCOLE BUISSONNIÈRE

« Nous savions que le Japon avait tout à apprendre de ces civilisations antiques comme celles des Grecs et des Romains ; l'Occident nous impressionnait beaucoup. Il nous envoyait ses machines, toutes plus extraordinaires les unes que les autres. Mon pays était resté trop replié sur lui-même. Au début de ce siècle tout est allé très vite. »

3.

« SA » PREMIÈRE VOITURE

La nuit tombait vite au village et, maison par
maison, les lampes à pétrole se mettaient à briller
dans la pièce principale. Un jour, des hommes
débarquèrent avec des poteaux et de grandes
bobines. La fée électricité fit son entrée en fanfare,
repoussant un peu plus les ténèbres et les
croyances en quelques mauvais génies des ombres.
Soichiro ne manqua pas un seul épisode de
l'installation de pylônes puis des branchements
des fils, jusqu'à la phase finale :

« Un homme d'une cinquantaine d'années
représentait à lui seul la puissance. Il disposait à
mes yeux d'un pouvoir magique, irréel. Il allumait
puis éteignait les réverbères en tournant quelque
chose au sommet. Aussitôt je m'assignai pour
tâche de percer son secret. Il était chauve. Je me
rappelle avoir demandé à mon grand-père s'il était
possible à un enfant comme moi de le devenir
rapidement. Évidemment interloqué par la question, il grommela : " Impossible ". Il ne me restait
plus qu'à monter à mon tour au faîte des réver-

bères. Ce que je fis au grand dam des passants qui criaient, effrayés devant une telle inconscience du danger. Mais je renouvelai ma tentative dans un endroit isolé, et là il ne restait plus qu'à reproduire le geste de l'électricien tournant un interrupteur. Miracle ! Moi aussi je possédais le pouvoir... d'illuminer le village ou de le plonger dans l'obscurité. »

Au chapitre des émotions fortes, un autre événement inouï allait intervenir dans sa vie de bambin turbulent. Ce fut l'arrivée pétaradante d'une voiture devant la plus belle maison du village.

« Une vraie et non plus un dessin mille fois observé dans les revues de l'époque. Avec de l'huile qui gouttait sur le chemin de terre. Impossible de l'approcher, le chauffeur hautain écartant du geste et de la voix la marmaille qui hurlait de joie. C'était la première voiture venue de la ville. Le village en ébullition s'était rassemblé autour d'elle ; finalement le chauffeur a préféré s'enfuir, et je me souviens d'avoir couru derrière pendant des kilomètres. Ce que j'appréciais le plus, c'était l'odeur des gaz d'échappement. J'ai respiré très fort cette fumée, ce relent d'huile brûlée que j'ai toujours aimé depuis. Je ne sais pas comment exprimer cette sensation. J'avais besoin de cette odeur, de m'en nourrir. Après l'avoir respirée j'avais l'impression de ne plus avoir besoin de repas. C'était à ce point-là. Et, pour satisfaire ce nouveau " besoin ", je n'hésitais pas à sécher l'école, persuadé aussi que ce n'était pas dans ce genre d'endroit que l'on apprend à vivre. J'étais désolé pour les maîtres. Ce qui m'intéressait par-dessus tout c'était l'imagination, la découverte des nouvelles technologies. En un mot : créer. »

A l'automne 1914, il s'évade des bancs de l'école une fois de plus, pour partir à bicyclette, jusqu'à une vingtaine de kilomètres du village, dans le but de découvrir cette fois un avion. A peine âgé de huit ans, il grimpe sur un arbre proche du terrain d'aviation pour assister — gratuitement — à la démonstration offerte par le pilote américain Niles Smith aux commandes d'un Samson. Ajoutant, aussitôt après le décollage de¹ cette drôle de machine, le métier d'aviateur sur la liste de ses ambitions futures.

« Comme d'habitude mon père m'attendait au tournant. Le directeur de l'école l'avait prévenu de mon absence, et son regard sévère ne m'impressionnait plus. Je savais qu'il avait pensé se rendre lui aussi au terrain d'aviation d'Hamamatsu. Empêché, j'étais devenu en quelque sorte son interlocuteur privilégié. " Tu as vu l'avion ? Comment était-il ? Tu as pu monter dedans ? " Je prenais un air important et répondais à chacune de ses questions, insistant sur le moindre détail pour augmenter sa curiosité et surtout retarder le moment de la punition. »

Soichiro Honda se plaisait à rappeler que toute sa vie « n'avait été qu'une suite logique de rencontres en apparence anodines mais à prendre comme autant d'instants décisifs servant d'in-

termédiaires à d'autres instants. Tout se suit et
tout se tient. Ne l'oubliez jamais. Avec le temps,
les épreuves finissent toujours par se transformer
en succès ».

Dès lors, mieux vaut être un bricoleur de génie.

4.

LE FORGERON DE KOMYO

Tel père, tel fils... Le dicton s'applique à la lettre chez les Honda. Avec quelques principes à la clé, patiemment distillés et au besoin en utilisant la manière forte.

« Fils, n'oublie jamais ceci : tu ne dois gêner personne, que ce soit dans la vie ou pendant le travail. Ensuite, ne jamais mentir, respecter la parole donnée, bref, conserver en toute circonstance une attitude digne. »

A la moindre incartade, la punition tombait. En général une paire de gifles ou un châtiment public pour toute faute jugée grave et surtout connue de tout le village. Le jeune Soichiro a hérité, malgré lui, du respect des convenances, mais surtout de l'habileté manuelle de son père.

Jusqu'à l'âge de six ans, il sera le roi de la maison. Surveillé d'un œil bienveillant par son grand-père. L'aïeul lui racontait légendes et faits de guerre du siècle précédent. Il l'aida aussi à faire le ménage dans le ciel étoilé, ses songes et autres cauchemars. Puis l'initia aux rites scrupuleusement transmis par la lignée dans cette maisonnée traditionnelle avec ses autels domestiques posés comme il se doit sur l'étagère à dieux.

Une harmonie parfaite régnait entre toutes les générations. La famille Honda, fidèle à tous ses devoirs, veillait à ne pas commettre l'irréparable « oya-ko shinju », c'est-à-dire le suicide familial. La plus grande faute aux yeux des Japonais.

Le père faisait pourtant figure d'original au village. Alors que l'essentiel des travaux était tourné vers l'agriculture, lui, délaissant les tâches répétitives telles que l'aiguisage des faux et la réparation des socs de charrue, s'intéressa très vite aux nouvelles technologies en matière d'armes et de machines-outils. C'est en parcourant une revue spécialisée dans les cycles qu'il s'est décidé à ouvrir un atelier de réparation de vélos. En 1915, la campagne nipponne vivait repliée sur elle-même, et ce depuis des siècles. Rares étaient ceux qui œuvrèrent à l'industrialiser.

Le pays était plongé dans une grande pauvreté. Le monde paysan ne disposait que de très peu de terre. Comme le voulait la coutume, la terre était confiée à un unique héritier. Dans la foulée il héritait également de la maison, et bien sûr des tablettes transmises depuis plusieurs générations, sans oublier l'autel des ancêtres. Il revenait aux autres enfants de trouver leur voie en émigrant vers d'autres cieux. Les villes principalement. Gare à ceux qui ne respectaient pas les règles édictées par les chefs du village.

Ceux-là ne pouvaient échapper au châtiment : le « mura hachibu », autrement dit la mise en quarantaine. La solidarité du village ne jouait plus ; exception faite de cas exceptionnels comme, par exemple, l'incendie de la maison, car le risque était grand de voir le feu se répandre à tout le village. Pas question de passer les limites autorisées. Le respect du chef de famille allait de soi. C'est en regardant son père battre le fer quand il était encore chaud que Soichiro s'est juré de se costumer plus tard en technicien. Bercé par l'écho du choc antique des coups de marteau contre l'enclume, l'enfant s'est forgé une âme de mécanicien, doublée de celle de conquérant de l'utile et de l'agréable.

Un destin ouvert par le rêve et dominé par l'action. Il aura connu tous les plus grands bouleversements technologiques du siècle : de l'apparition de l'automobile à l'avion en passant par le train. Imaginait-on son homologue Enzo Ferrari remplacer le pot d'échappement d'un de ses bolides avant livraison ? Marcel Dassault, autre grand constructeur devant l'Éternel, s'allonger dans la tuyère d'un réacteur de Mirage III afin de localiser une petite fuite hydraulique ?

Toujours présent sur le terrain après un demi-siècle de labeur sans répit, M. Honda s'offrait même le luxe de sourire en n'importe quelle circonstance. Ce génial bricoleur parlait constamment avec les mains, ce qui le différenciait, là encore, du « Comandatore » raidi dans sa dignité afin de maintenir à distance ses semblables.

LE FORGERON DE KOMYO

L'expérience avait bien commencé dans la maison natale, sorte de paradis calme et coloré où chaque crépuscule était scandé par l'arrêt d'un moteur. Le jour, toute la vallée ronronnait au rythme d'une décortiqueuse de riz. Le Japon sortait, non sans peine, de l'époque féodale. En faisant coulisser la fenêtre de papier de sa chambre, Soichiro pouvait contempler à loisir un océan de rizières moissonnées au soleil. Là-bas, au loin, une bluette de fumée s'échappant d'une ferme attirait quotidiennement son regard.

Un jour, n'y tenant plus, il pria son grand-père de l'emmener voir de plus près l'étrange chose.

« Je ne sais plus avec précision si j'avais deux ou trois ans. Je me rappelle combien j'avais marché le cœur battant, accroché aux pas de mon grand-père sur l'étroite digue qui enjambait les rizières. Arrivés dans la cour de la ferme, nous sommes entrés sous l'abri entièrement occupé par la machine. Je l'observais attentivement, tous mes sens en éveil, bouche bée. Elle était enfin devant moi, la décortiqueuse de riz. Elle sentait bon le mazout. La fumée qui s'échappait de ses entrailles me fascinait. Qu'elle était grosse ! Je suis resté planté devant, des heures durant. Les jours suivants, je fuguais, je courais à toutes jambes, et je tombais dans la rizière ! Par bonheur, une jeune paysanne m'avait vu. C'est couvert de boue qu'elle me ramena à la maison. Impossible de mentir. Mon père, homme de grands principes, ne supportait pas le mensonge. Il m'administra ma première punition et me gifla sans omettre de me faire la leçon : " Toujours respecter sa parole, ne jamais mentir, avoir une attitude digne. " »

Premier enfant d'une famille qui en comptait cinq, Soichiro est né en l'an 39 de l'ère Meiji, le 17 novembre 1906. Comme de coutume, le premier fils attire la tendresse bienveillante des plus anciens de la lignée. Celle du grand-père d'abord, qui sut très vite combien le bambin était du genre équilibriste. Jusqu'à l'âge de six ans, l'enfant passa douillettement ses journées sous son aile protectrice. S'endormant le plus souvent bercé par les légendes — d'inspiration guerrière — narrées par l'aïeul. L'histoire de l'empire du Soleil levant, ainsi distillée au compte-gouttes dans sa mémoire d'enfant, tiendra toute sa vie une place de choix. Il est nécessaire d'en rappeler quelques épisodes pour apprécier l'itinéraire complexe du personnage.

A l'aube du XXe siècle, une ère nouvelle est en train de naître au Japon : celle de Meiji, « l'époque de lumière », autrement dit de progrès. Elle fut ainsi dénommée parce qu'elle a vu l'ancien Japon, celui des féodaux, des samouraïs et des shoguns, disparaître peu à peu pour laisser la place à une société autre, qui devait lentement mais sûrement atteindre, voire dépasser, celle des Occidentaux.

Depuis mille ans, en effet, les empereurs nippons, isolés dans leur palais tels des dieux inaccessibles, ne gouvernaient plus. Le pouvoir appartenait alors à une institution administrative connue sous le nom de Bakufu (« le gouvernement de la tente »), de caractère militaire, dirigée par une sorte de généralissime, le shogun. Plusieurs dynasties de shoguns se sont ainsi succédé : celle de la famille Ashikaja (1392-1573), installée à Kyoto, et celle des shoguns de la famille Tokugawa, fixée à Edo, aujourd'hui Tokyo, jusqu'en 1867.

Pendant les deux siècles et demi que dura la période d'Edo, le Japon, fermé sur lui-même, hormis quelques échanges avec les Chinois et les Hollandais, connaît la paix et la prospérité dans le cadre du régime féodal nouvelle manière. Le 9 décembre 1867, le quinzième shogun de la dynastie Tokugawa remettait solennellement ses pouvoirs au nouvel empereur qui venait de monter sur le trône à l'âge de quinze ans. Il s'appelait Mutsuhito et régna jusqu'en 1912. Fin de l'ère Meiji.

Pendant toute son enfance, Soichiro s'endormit en écoutant l'histoire de son pays, de sa région, distillée avec force détails par ce grand-père qui vénérait par-dessus tout le grand shogun du début de l'époque des Tokugawa.

« Mon grand-père connaissait de mémoire tous les faits d'armes des guerriers. Il avait son tatami près du mien, et presque chaque soir je lui demandais de me raconter les aventures du seigneur de notre région, celles vécues par Shingen le rebelle, qui s'était battu dans nos rizières contre les troupes de Iéyasu juste avant l'installation de

41

l'empereur en 1868. Nous avions notre monde à nous, disparu et finalement terrible. Dans notre vallée, plutôt isolée des grandes villes et du progrès, les coutumes et traditions d'antan étaient encore bien vivaces. »

Le jeune empereur résida, dans un premier temps, à Kyoto, puis transféra la cour à Edo, ancienne capitale des shoguns, rebaptisée pour la circonstance Tokyo (la capitale de l'est). Il énonça les principes du nouveau régime (déclaration des cinq articles) et inaugura une période fondée sur l'occidentalisation de la société et la puissance absolue de l'empereur (le mikado) afin de garantir dans le même temps la pérennité de la civilisation traditionnelle.

Le régime féodal fut aboli. Les fiefs des seigneurs daimyos devinrent des préfectures administrées par des fonctionnaires impériaux. Des châteaux forts furent démantelés. Grande première : le port du sabre fut interdit aux samouraïs, qui perdirent du même coup leurs privilèges de guerriers seigneuriaux. Certains fomentèrent des révoltes armées. Elles furent écrasées à l'issue de dix ans de sanglants combats. Cependant, l'abolition des distinctions féodales n'avait pas entraîné pour autant la disparition du régime oligarchique caractérisant la société japonaise.

L'ère Meiji ne fut donc qu'une sorte de révolution par le haut; la base sociale de l'État ne s'en trouva pas modifiée mais simplement élargie. Finalement, cette révolution politique a consisté en un changement de despotisme. A l'absolutisme aveugle et factice du régime shogunal a été substitué l'absolutisme clairvoyant de l'empereur. Ce dernier promulguera en 1889 une constitution calquée sur le modèle prussien puis modifiera le système économique, le transformant en un capitalisme largement favorisé par le gouvernement impérial autorisant l'apparition des cartels (zaibatsu), organisé également sur le modèle allemand. De gros industriels, qui ont pour nom Yasuda, Mitsubishi, Asano, Mitsui en font partie. Leur puissance va s'accroître pendant la guerre contre la Chine (1874). La croissance économique du Japon s'affirme avec éclat. Deux flottes puissantes — de guerre et de commerce — sont mises en chantier. Les voies ferrées apparaissent dans le paysage, l'industrie houillère et métallurgique voit ses niveaux de production multipliés par 20 pour ce qui concerne le charbon entre 1875 et 1905, et par 6 pour la fonte entre 1896 et 1906.

Le Japon est désormais un État impérialiste grâce à deux guerres victorieuses, contre la Chine, en 1894, puis contre la Russie, en 1904-1905. L'appétit vient en mangeant. La Corée est annexée en 1910. De l'autre côté du Pacifique, des Américains commencent à parler d'un « péril jaune ». Rien de moins. A la mort de Meijitenno, en 1912, ce pays se classe parmi les plus grandes puissances mondiales. Un fait symbolique montre — s'il en était besoin — que le féodalisme n'était pas totalement disparu des mentalités : à la mort de l'empereur, le meilleur chef de l'armée, le général Nagi, vainqueur de Port Arthur, se suicide avec son épouse dans la plus pure tradition samouraï qui veut que, lors du décès d'un souverain ou d'un grand seigneur, ses vassaux et guerriers se donnent la mort par harakiri en signe de loyauté...

Le fils de Meiji, Yoshihito, cent vingt-troisième empereur, prend la suite. L'ère Taishô (la grande multitude) va connaître ces « jours qui ébranlèrent le monde ». Au plan intérieur, la concentration du capital et l'accroissement de la production industrielle n'ont pas entraîné de progrès au sein de la population. Au contraire, les inégalités sociales s'aggravent. On parle beaucoup chez les ouvriers de la révolution russe. Dans la foulée, les organisations socialistes nipponnes s'organisent et suscitent quantité de grèves (497 recensées en 1918 contre une cinquantaine l'année précédente). Un peu partout, dans les campagnes, la population va se soulever. La disette menace à la suite d'une spéculation sur les prix du riz et d'une mauvaise récolte au cours de l'été 1918. Les bouleversements dus à la guerre (le Japon s'était engagé aux côtés des Alliés) favorisent la naissance d'une classe de nouveaux riches : principalement paysans spécialisés dans la sériciculture, négociants en riz et quelques petits entrepreneurs.

Le père de Soichiro se glissera dans leur sillage, abandonnant son travail harassant de forgeron pour ouvrir un atelier de réparation et vente de cycles. Dans la maison Honda, certes, l'enfant

Soichiro était roi, mais on ne badinait pas avec la tradition. Jeunes et vieux dormaient et mangeaient sous le même toit, et tous devaient se conformer au mode de vie, quelle que soit la génération. Soichiro avait toutefois l'âme vagabonde et ne manquait jamais une occasion de s'échapper du giron familial.

« Dès le petit déjeuner achevé, je rangeais mon bol de riz et de légumes confits avant de courir rejoindre mes camarades de jeu. Mes parents savaient toujours où me trouver. Mon endroit favori, c'était évidemment l'atelier. Je rentrais tard le soir, le visage et les mains couleur de charbon. J'organisais surtout, avec mes amis, quelques mauvaises plaisanteries. Mon père se mettait alors dans des colères terribles, tant et si bien qu'un jour il me lia les mains à un poteau situé en bordure de la route qui longeait la maison, afin de prouver au voisinage, victime de mes farces, qu'il n'hésitait pas à me punir publiquement. »

5.

LA DÉCOUVERTE DE TOKYO

« A quinze ans je ne connaissais pas de ville plus importante qu'Hamamatsu. »

Autant dire un gros bourg. Le jeune Soichiro est donc subjugué lorsqu'il découvre Tokyo. Son père, qui l'accompagne, l'est plus encore, car il s'agit, pour lui aussi, d'une première.

Il faut dire que l'on voyage peu dans le Japon des années vingt. Aujourd'hui, le train à grande vitesse, le Shinkansen, met les deux villes à moins d'une heure, et Hamamatsu s'est quelque peu transformée. La ville est devenue une sorte de banlieue-dortoir de la capitale.

« Mon père m'avait emmené à Tokyo pour assister au premier rendez-vous avec mon employeur. Nous avions jeté notre dévolu sur une petite annonce dans une revue professionnelle à laquelle mon père était abonné. L'offre correspondait parfaitement à ma qualification d'apprenti chez Art Shokai, un atelier de réparation de bicyclettes et de motos. »

Après un échange de courrier, rendez-vous avait

donc été pris avec le directeur de cette petite entreprise, M. Sakakibara, ceci bien entendu avec l'accord du forgeron de Komyo, qui avait depuis longtemps compris que son fils préférait se plonger dans l'étude des engrenages, pistons et autres bielles plutôt que dans les subtilités grammaticales serinées par ses professeurs. Le moment était-il venu d'entrer dans la vie active ? La question occupe désormais toutes ses pensées, dans un Tokyo composé de cahutes en bois et de constructions en brique. Il y a foule dans les rues, et Soichiro ne cache pas son inquiétude.

Ce voyage était plus que symbolique. Il prit très vite un sens initiatique.

« J'avais le sentiment que mon père était venu pour livrer à sa vie d'homme l'enfant que j'avais été. En me confiant à M. Yuso Sakakibara il m'offrait, en même temps qu'une seconde famille, le véritable démarrage de ma carrière. »

Les premiers jours furent plutôt arides, dans cette famille unie, attentive et pas des plus démunies. C'était un peu une nouvelle maison à l'abri du monde. D'un côté, la métropole impressionnante, et de l'autre les petits bonheurs domestiques, soumis aux rites et parfois aux rires moqueurs.

« Les premiers jours furent assez pénibles pour moi car je fus écarté de l'atelier. Incroyable, j'ai débuté comme baby-sitter. J'étais en quelque sorte la nounou du petit dernier. Autour de moi fusaient les quolibets des autres apprentis qui étaient sans

47

doute déjà passés par là. J'éprouvais une sorte de honte car jamais je n'avais imaginé langer un bébé, en l'occurrence celui du patron, pour entamer dans les règles un apprentissage de mécanicien. »

Dehors, la vie bouillonne dans les rues et pas forcément en harmonie avec ses rêves d'adolescent. Il retrouve toutefois les mêmes images que celles qu'il découpait, enfant, dans les magazines et collait soigneusement dans un cahier d'écolier. Seule différence notable, l'apparition de nouvelles voitures étrangères ; celles notamment de l'Américain Henry Ford. A quinze ans, il a la tête pleine de moteurs. Voilà qui ne laisse que peu de place à une pensée sentimentale. Rien de comparable avec les songes des jeunes Américains de ces années-là, empreints de la nostalgie romantique des héros fitzgéraldiens du « Jazz Age ».

Dans sa chambre au-dessus du garage, Soichiro a pourtant le cœur serré dès qu'il entend son patron allumer les lampes et préparer les outils. Il contemple le jour naissant à travers la petite fenêtre, découvrant un ciel gris venu de l'est, ce qui rend encore plus maussade la pièce carrée qu'il partage avec d'autres apprentis. Il se réveille avec un sentiment d'inutilité, une sorte de souffrance devant la grisaille de ses occupations, tandis que la chambre répercute toute la journée les mugissements des cylindres et des pots d'échappement. Quand le silence revient, il peut entendre parfois les airs fredonnés par les employés tandis que devant lui le bébé se met à hurler.

En cette année 1921, la colère gronde dans les rues de Tokyo. La bataille fait rage depuis long-temps entre les différents chefs de partis politiques du pays. Les gouvernements de partis prétendu-ment libéraux se succèdent sans arrêt, tandis que les groupes financiers étendent chaque jour davan-tage leur cercle d'influence. En même temps, les difficultés économiques ne cessent de croître. S'inspirant des mots d'ordre de la révolution russe, les forces socialistes croissent en nombre et multi-plient les grèves. La manifestation du 1er mai 1921 attire des ouvriers et des paysans de tout le pays. Elle est sauvagement réprimée. Quelques mois plus tard, l'assassinat, par un ultranationaliste, de l'homme le plus riche du Japon, Yasuda Zenjiro, sert de prétexte à une campagne antisyndicale. Le meurtre commis sur la personne du chef du gouvernement Hara, en novembre, entraîne de surcroît une autre vague de répression contre les syndicats, dont les plus importants dirigeants sont arrêtés par la police, sans ménagements ni procès. Cela n'empêche pas la fondation, en 1922, du Parti communiste japonais.

La même année, Art Shokai concentre ses activités sur la réparation automobile, tandis que dans les campagnes l'effondrement des cours du riz fait tomber les ventes. La famine apparaît dans le nord-est du pays.

Protégé par sa nouvelle famille d'adoption, le jeune Soichiro vivait à cent lieues de cette effervescence sociale.

« Je me souviens du jour où le chef d'atelier me tendit un sac contenant, disait-il, ma première récompense. Celle-ci devait prendre à mes yeux autant d'importance que la remise de la croix de la Légion d'honneur créée par Napoléon... Il s'agissait d'un bleu de travail ! Ainsi accoutré, j'obtenais le droit de me pencher sur ces mécaniques bruyantes, aux odeurs fortes dont je désirais tant percer les mystères. A l'époque où je découvrais les rudiments de mécanique générale, cette industrie occupait déjà une grande place en Europe et aux USA. Nos maîtres nous avaient enseigné toute l'importance prise par l'automobile pendant la Première Guerre mondiale et notamment l'épisode des taxis de la Marne... Alors que je m'initiais studieusement à l'ensemble des techniques qui permettaient de réaliser une voiture performante, des hommes comme André Citroën ou Henry Ford fabriquaient déjà des centaines de voitures chaque jour.

« C'est vrai qu'aujourd'hui, lorsque je regarde les modèles qui portent mon nom, ceux-ci n'ont plus rien de commun avec ceux des années vingt. L'occasion de mesurer le chemin parcouru en matière de recherche. Nous avons comblé largement le retard technologique ; non sans un colossal effort. »

LA DÉCOUVERTE DE TOKYO

L'incroyable saga a donc pris sa source à Tokyo chez Art Shokai jusqu'au jour où...

« Un matin, M. Sakakibara me fit une proposition qui s'avéra décisive. Ce fut sans aucun doute l'un des éléments qui me permirent de fonder, plus tard, ma compagnie. Après avoir travaillé six ans à Tokyo et partagé la passion de la compétition automobile avec mon patron, celui-ci me proposa de monter une affaire dont je serais le directeur. En fait, il me proposait de fonder chez moi, à Hamamatsu, une concession locale Art Shokai. »

Sans imaginer qu'il deviendrait un jour le constructeur d'automobiles et de motocyclettes le plus titré de son siècle, Soichiro Honda, avec la complicité de son employeur, utilisa ses heures de loisirs à fabriquer une véritable voiture de course.

« Au lendemain de la guerre, il est vrai, certains pays se sont lancés dans la construction d'automobiles et de motocyclettes sans réellement faire preuve d'innovation mais en copiant joyeusement les modèles existants. Cette réputation, pendant longtemps, a collé aux constructeurs japonais. Ce cliché n'est plus de mise depuis belle lurette. Au contraire. Les Japonais, Honda en tête, s'évertuèrent à faire évoluer les techniques tout en stabilisant leurs relations avec les grandes puissances étrangères.

« Accusés de plagiat à l'échelle industrielle dans les années soixante, on notera que les Nippons déposent actuellement le plus grand nombre de brevets d'invention à travers le monde. Pour être plus précis, ajoutons qu'en une seule année Honda Motor dépose et protège quasiment autant de brevets que l'ensemble des constructeurs européens.

« L'image du Japonais, l'appareil photo en bandoulière, adepte de l'espionnite, chasseur d'images dans les salons automobiles internationaux, relève définitivement de la mauvaise foi.

« S'il est vrai que dans les années soixante les Japonais ont beaucoup appris en observant les constructeurs américains et européens, alors en pointe sur le plan technologique, il n'en est plus de même à l'aube du XXIe siècle. Déjà, dans les années soixante-dix, l'épisode CVCC avait étonné plus d'un ingénieur. A leur tour, les Japonais prenaient une longueur d'avance. »

En 1970 aux USA, le gouvernement fédéral innovait en matière de pollution sous la pression des forces écologistes et des consommateurs. Une loi tendant à réduire le taux de pollution automobile obligeait les constructeurs US à revoir leur copie en créant désormais des moteurs moins polluants pour les véhicules qui seraient commercialisés le 1er janvier 1975.

En février 1971, Honda annonce la sortie d'un moteur de type CVCC (compound vortex controlled combustion) qui répond avec une marge importante aux normes édictées par les législateurs américains.

Ceci ne va pas sans poser des problèmes aux constructeurs US. Jusqu'ici, seul le système original conçu par les ingénieurs de chez Honda évolue avec un appareillage antipollution depuis la sortie de la fameuse Civic à culasse CVCC de type II. Cette voiture répondait alors aux normes américaines.

Paradoxe amusant : si la loi devait être appliquée, seules les Honda Civic CVCC auraient pu être vendues sur le territoire américain à partir du 1er janvier 1975 !

Les Américains avaient, heureusement pour eux, tout prévu dans leur législation, puisque la loi antipollution fut aussitôt « contrariée » par la loi « antitrust »...

Les années soixante-dix apparaissent donc comme le véritable démarrage de la firme Honda sur le marché automobile, notamment grâce à « l'épisode CVCC » et par la sortie de la première Honda à refroidissement par eau, la Life, suivie en 1972 de la Civic qui, plus de vingt ans après, figure toujours au catalogue de la marque, non sans avoir subi un lifting de la part des stylistes, et ce à peu près tous les cinq ans.

Honda n'en finit pas d'étonner. Petit à petit, cette automobile devient la coqueluche des conducteurs et des conductrices dans le monde et grignote le marché mondial. La Civic n'a-t-elle pas remplacé la Coccinelle aux USA ? C'est de fait la voiture étrangère la plus importée, et vingt ans plus tard elle a rejoint la Coccinelle, la Golf, la 2 CV Citroën et la Ford T sur le podium des « Top Four » de l'histoire de l'automobile.

Des best-sellers, Honda en a créé beaucoup, dans tous les domaines : la CB 750 Four et la GL 1 000 pour les grosses cylindrées, le CUB, le deux-roues le plus fabriqué dans le monde, la Civic, mais aussi le générateur E 300, les motoculteurs F 25 et F 28, ou encore le premier hors-bord 9,9 CV quatre temps de l'histoire. Tous ces succès sont à envisager comme le résultat d'un souci permanent de satisfaire la clientèle en imaginant l'engin dont elle ne pourra se passer pour des raisons multiples : d'ordre esthétique, de plaisir brut, d'efficacité, de fiabilité, de performance et d'économie d'utilisation.

Plus étonnant encore, hormis les véhicules utilitaires et de transport en commun, Honda se place en bonne position sur tous les marchés d'engins à moteur thermique.

« M. Sakakibara avait comme moi la passion de la compétition automobile. Notre rêve était des plus simples : mettre au point une voiture digne de s'aligner dans quelques épreuves sportives au Japon. Je souhaitais autant la concevoir que la piloter ! Fabriquer la voiture ne constituait pas à nos yeux une tâche insurmontable. Le problème, c'était le moteur. Féru d'aviation depuis toujours, j'eus l'idée d'adapter un moteur d'avion Curtis-Wright sur un châssis d'automobile spécialement conçu à cet effet. J'ai travaillé des nuits entières sur cet engin avec lequel j'ai disputé le All Japan Speed Rally de 1936. Poser un moteur d'avion sur une voiture de course n'était pas si simple, et j'ai dû résoudre des tas de problèmes, surtout liés au refroidissement et à la transmission, pour que la voiture soit pilotable. »

C'est en juillet 1936, après quelques courts essais effectués sur des routes non goudronnées, que Soichiro Honda se retrouve sur la grille de départ de la fameuse épreuve.

« J'ai eu beaucoup de mal à trouver le sommeil la veille de la course. Cette entrée en compétition était importante pour moi, et j'avais sur les épaules toute la confiance de ceux qui m'avaient aidé dans cette folle aventure. »

L'équipage avait fière allure dans le parc où les concurrents mettaient une dernière touche à la préparation de leur voiture avant de se rendre sur la ligne de départ du circuit, situé dans les abords immédiats de Tokyo, le long de la rivière Tama.

A l'époque, deux personnes prenaient place à bord des voitures, le pilote et un mécanicien.

Soichiro faisait équipe avec son jeune frère, dans sa voiture qui arborait le numéro 20.

L'engin ne manquait pas d'attirer les regards.

Quelques années avant, en 1931, Honda San s'était déjà fait remarquer des connaisseurs en déposant une licence pour la fabrication de roues en métal ; l'armature de celles-ci étant générale-ment fabriquée en bois un peu partout dans le monde.

L'idée devait être reprise par les constructeurs du monde entier. Il avait alors vingt-cinq ans.

Revenons à la course. Dès le départ, la Honda soulève l'enthousiasme du public. Le bolide, entraîné par un moteur d'avion ne développant pas moins de 100 chevaux, atteignait 120 km/h dans les lignes droites, non sans mal pour les pilotes.

« Mon frère et moi éprouvions souvent quelques difficultés à rester dans la voiture ; c'est dire si les secousses étaient fortes. La chance, jusque-là, m'accompagnait. A la différence de mon frère, je pouvais au moins m'agripper au volant. Nous ne disposions pas de harnais comme aujourd'hui. Rien, absolument rien, ne nous maintenait sur nos sièges. C'était du sport. Vraiment ! »

Soudain, dans la dernière ligne droite, c'est l'accident. Un concurrent lui coupe la route et Soichiro ne peut l'éviter.

« Je m'en souviens comme si c'était hier. Le choc fut d'une telle violence que la voiture décolla dans les airs, propulsée à plus de trois mètres de hauteur. Mon frère et moi fûmes éjectés, tandis que le véhicule partait en tonneaux avant de s'immobiliser dans les barrières de protection.

« Je m'évanouis sous le choc, et les premiers mots que j'entendis furent ceux d'une infirmière : " Vous avez vraiment de la chance d'être encore en vie ! "

« Mon frère était vivant, mais en aussi piteux état . »

Soichiro Honda en réchappa avec quelques os cassés et, surtout, la partie gauche du visage

durement touchée. Il en gardera une légère paralysie faciale à vie.

Des accidents, Soichiro en connut pas mal dans
sa vie, tout aussi spectaculaires les uns que les
autres, en voiture et même en avion. Chaque fois,
il en est sorti indemne. La baraka!

Échaudé tout de même par son accident, Soichiro Honda comprit vite qu'il valait mieux pour
lui se borner à la conception des voitures de course
et abandonner le pilotage pendant quelque temps.
Dans les années soixante, au début de la participation de l'usine Honda à divers championnats autos
et motos, il s'entoura des meilleurs pilotes du
moment.

Aujourd'hui, la fameuse Honda à moteur Curtis-Wright est exposée dans le hall du musée de la
firme qui se situe dans l'enceinte du circuit de
Suzuka. Sur une photo on aperçoit Soichiro effectuant, à son bord, un tour d'honneur du circuit en
1986. La voiture avait été entièrement restaurée
pour l'occasion.

Pas très loin de là trône le trophée qu'il obtint
malgré l'accident qui le mit hors course. S'il ne
remporta pas le All Japan Speed Rally, il décrocha
toutefois le record de vitesse grâce aux 120 km/h
atteints par son bolide. Une performance qui ne
devait tomber que vingt ans plus tard.

6.

L'HOMME D'AFFAIRES

Lorsqu'il retourne à Hamamatsu, en 1928, Soichiro fonde la concession locale d'Art Shokai. Toujours possédé par le virus de la compétition, il ne se borne pas à la réparation des voitures de ses clients. Tard dans la nuit, le garagiste pouponne sans relâche sa voiture de course.

Il n'a de cesse d'améliorer les techniques existantes.

Les moteurs étaient peu fiables à l'époque, tout comme les matériaux qui les composaient. La mauvaise qualité des métaux et alliages posait de sérieux problèmes. Principalement aux pièces très sollicitées sur le plan thermique, comme les pistons et segments.

Persuadé qu'un créneau était à prendre, il se lance résolument dans la fabrication de pistons et segments, puis, en 1937, il abandonne la concession Art Shokai pour créer cette fois sa propre entreprise : Tokai Seiki Heavy Industry. Son esprit inventif, assez proche du « système D » selon la formule française, fait merveille. Soichiro ne manque pas d'apporter quelques modifications notables à ces pièces et, lors d'expositions professionnelles, il récolte ses premiers lauriers.

Bien que sensiblement améliorées, ces pièces ne possèdent pas encore toute la fiabilité requise. En collaborant d'arrache-pied avec Miyamoto, le directeur de sa compagnie, Honda s'acharne, durant plusieurs mois, à résoudre des problèmes paraissant alors insurmontables.

« Je ne pouvais trouver une réponse satisfaisante. Les difficultés dépassaient largement mon champ de connaissances acquises jusque-là. Il me fallut admettre combien était insuffisant mon niveau d'études. J'ai bien vite compris combien mes éventuels talents d'inventeur ne passaient plus la rampe. De sérieuses bases techniques me faisaient défaut. Bien sûr, j'ai tourné en rond pendant quelques semaines, cherchant seul, enfermé dans mon atelier, l'esquisse d'une solution. A un niveau que l'on peut qualifier d'obsessionnel. Je buvais des quantités incroyables de saké chaud ; m'escrimant à recommencer chacune de mes expériences. Je ne suis pas rentré chez moi pendant toute cette période. Ma femme, un peu catastrophée par mon état, m'apportait tous les jours mes repas. Elle en profitait aussi pour me couper les cheveux. »

C'était le temps des vaches maigres pour le jeune couple. Tant et si bien que Soichiro décida un beau matin de mettre un terme à cette situation précaire en reprenant ses études pour pallier ses carences. Il était alors âgé de trente et un ans.

Coïncidence heureuse, une université de technologie venait de s'ouvrir à Hamamatsu. Sans hésiter, il s'y inscrit et se met au travail.

Après un entretien très franc avec le professeur Fujii, ce dernier accepte — non sans avoir au préalable consulté ses confrères — de l'intégrer dans l'université bien qu'il ne possède pas le niveau et qu'il n'ait pas suivi la filière traditionnelle. Il a aussi largement dépassé l'âge d'admission.

Sa notoriété locale plaide largement en sa faveur. Les brevets qu'il avait déposés jusqu'ici prouvaient au besoin qu'il disposait de sérieuses aptitudes à suivre ces études.

Dès ce jour, une nouvelle vie commence pour Honda. Le voici désormais costumé en étudiant à mi-temps et en chercheur. L'occasion rêvée de mettre en application la théorie et la pratique dans son atelier.

« Si la théorie permet d'obtenir les bases suffisantes pour créer, tous les professeurs d'université devraient se transformer en inventeurs. »

A condition de posséder, comme lui, ce petit plus indispensable que l'on appelle talent.

Évidemment Honda n'est pas un étudiant comme les autres... Au milieu du parking à vélos trône une voiture : la sienne. Soichiro ne passe pas inaperçu parmi les étudiants de l'université.

Certains de ses professeurs, plus jeunes que lui, sont franchement surpris par la pertinence de ses réflexions. Elles laissent pantois ses camarades de classe.

L'HOMME D'AFFAIRES

A l'issue de ces études très particulières, le proviseur, M. Tei Adachi, le convoque et lui signifie qu'il ne peut lui remettre son diplôme car il n'a pas répondu à toutes les convocations aux examens.

« Je me souviens lui avoir rétorqué qu'un diplôme est moins utile qu'un ticket de cinéma. Avec un ticket on est certain de pénétrer dans la salle, tandis qu'avec un diplôme peut-on avoir la certitude de mener à bien une carrière ? Cette boutade eut pour effet d'agacer M. Adachi. »

Pendant les années soixante, alors que le vieux professeur avait depuis longtemps pris sa retraite en tant que président de l'université de technologie de Yamanashi, il déclara, beau joueur, à son ancien étudiant qu'il lui avait finalement accordé un diplôme... moralement parlant.

Enrichi de ses nouvelles connaissances, Honda conçoit dans la foulée le « segment miracle », grâce à ses nouvelles connaissances sur les propriétés du silicone mêlé au métal. Nous sommes en novembre 1937.

A l'issue de nombreux tests, Honda et Miyahotu donnent naissance à une petite unité de fabrication dans le but de produire ce segment qui fait bien évidemment l'objet d'un nouveau brevet.

Trois années passent, la société de Soichiro Honda prend sa vitesse de croisière. Tokai Seiki occupe une place de choix parmi les leaders du marché puis, ironie de l'histoire, Soichiro Honda devient l'un des fournisseurs principaux de

Toyota. En 1941, Toyota va jusqu'à rentrer dans le capital de Honda en tant qu'actionnaire disposant de 40 % des parts.

La guerre éclate en 1941. La compagnie que dirige Soichiro est évidemment sollicitée par les responsables de l'armement. Tokai Seiki augmente sa production et procure des pièces à la Marine impériale et à l'Aviation ; notamment aux usines qui fabriquent les fameux avions japonais « Zero », à savoir la Nakajima Aircraft Company.

L'usine d'Hamamatsu se situait alors à proximité de la base aérienne militaire de la région. Celle-ci fut d'ailleurs en partie détruite lors de raids aériens américains en 1944.

Inutile de préciser que l'usine tourne à plein régime. L'aggravation du conflit l'oblige à revoir ses structures initiales. Tokai Seiki embauche de nombreux ouvriers sans spécialisation. Soichiro Honda s'adapte. La fabrication des segments nécessite une main-d'œuvre très qualifiée, un matériel plutôt complexe.

« Dès l'arrivée de cette main-d'œuvre inexpérimentée j'ai créé de nouvelles machines, entièrement automatiques, qui fabriquaient les segments sous la surveillance de ces jeunes recrues. »

Poussé par les événements, avec presque trente ans d'avance, Soichiro Honda met en place, sans trop le savoir, le concept moderne des usines robotisées. Toujours très lié à l'aviation, du fait de la proximité de la base aérienne et de sa collaboration à la fabrication d'éléments pour les moteurs d'avion, il conçoit alors une technologie originale pour la fabrication d'hélices. Cette découverte lui valut d'être cité par le haut commandement militaire au titre de « Héros de l'industrie » pour services rendus à l'Empire.

A la fin de la Seconde Guerre mondiale, aux dégâts occasionnés par les bombardements vinrent s'ajouter les terribles effets d'un séisme qui détruisit totalement l'usine.

La reconstruction de l'usine est à peine entamée que Soichiro Honda décide brutalement de s'en séparer. Il va la céder à l'un de ses plus importants futurs concurrents : Toyota Motor la rachète pour la rondelette somme d'un demi-million de yens, ce qui correspond à 5 millions de francs d'aujourd'hui.

Que se passe-t-il dans sa tête ? A compter de ce jour, Soichiro Honda adopte un comportement des plus étonnants pour un Japonais. Dans un premier temps, il achète un énorme tonneau d'alcool et divers alambics. Il se lance dans la production de whisky. Principalement réservée d'ailleurs à sa consommation personnelle, voire à ses amis les plus proches.

Veut-il oublier les années de guerre ? Le rôle déterminant qu'il a joué pendant l'effort de guerre, comme on dit ? Ou bien veut-il gommer de son esprit la défaite du Japon ? Il s'offre sans concerter son entourage une année sabbatique, sillonnant les routes des campagnes d'un Japon en totale reconstruction. Les paysans se demandent qui peut bien être ce vagabond qui ne quitte jamais son instrument préféré, le shakuhachi, une flûte japonaise.

Ce petit homme n'a jamais cherché à élucider le monde à coups de doctrines. Bien au contraire, il a insolemment tenté de remonter à la source de ses intuitions primitives et diffuses. Il se découvre, au sortir de la guerre, dans un état de mue, de rupture, de perte de contours. Terrible époque où tout vacille. Son pays est rasé. Il se lance alors dans une pathétique chasse aux lucioles dans les champs et en bordure de forêts. Il lui faut faire le point car tout semble vide autour de lui. Plus rien ne fait sens. La déflagration atomique a introduit le désordre dans ses plus fermes convictions. Sa pensée est en bouillie, réduite à l'état larvaire. A l'image des papillons qu'il décide de traquer. Il s'en va donc sur les chemins en jouant de la flûte devant un public aussi hébété que lui. Sans passé, sans avenir, dans une sorte de ralenti, de décalage permanent avec le réel. Courant après les fleurs ailées, ce mystique sans religion tente d'échapper, pendant presque deux ans, au vertige mental en se répétant cette sentence de Bouddha : « Rien n'a d'importance, poursuivez votre chemin. »

Une rencontre va s'avérer déterminante. On peut considérer qu'il y en eut deux qui marquèrent la vie de Soichiro Honda.

Tout d'abord celle de Sachi, la femme qui deviendra son épouse, puis celle de Takéo Fujisawa, cofondateur avec lui de Honda Motor Company Ltd.

64

L'HOMME D'AFFAIRES

Takéo Fujisawa est né en 1910, au lendemain des années noires, dans une famille de condition modeste. Le Japon se remet difficilement du krach de 1907. Chez les Fujisawa, on se maintient malgré tout au-dessus de l'ornière grâce à l'ingéniosité, en affaires, du chef de famille : Hideshiro. On est businessman de père en fils. Héréditaire, mon cher Watson !

Un temps, Hideshiro Fujisawa a pensé devenir peintre. Puis l'idée de monter une régie publicitaire a germé dans son esprit. Rien de moins que la gestion de toute la diffusion de diapositives publicitaires sur les écrans des salles de cinéma pendant les entractes... Il suffisait d'y penser.

Jamais satisfait, il persiste et signe. La gestion de wagons-cinéma dans les trains de nuit, voilà qui devrait être une bonne affaire, n'est-ce pas ?

Toutes ces idées originales autorisèrent la famille à partir d'un bon pied. Et surtout à Takéo Fujisawa de vivre confortablement tout en poursuivant de solides études.

Malheureusement, le tremblement de terre de 1923 n'épargne pas les Fujisawa, pas plus que les crises boursières de 1927 et 1929.

Ils ne purent exploiter que quelques mois un cinéma qui proposait à l'affiche quelques bons films étrangers. Faute de clients, la faillite ne tarde pas.

A cette époque les Fujisawa disposent de si peu de ressources qu'ils ne parviennent plus à acheter les livres de classe de Takéo. Ce dernier trouve une parade. Il recopie pendant ses soirées les bouquins de ses camarades plus fortunés. Il avait par-dessus tout envie d'intégrer une université et d'embrasser la carrière d'enseignant.

Malheureusement les événements en décidèrent autrement. En 1928, il arrête ses études et travaille dans une société de marketing direct. Ne quittant jamais son stylo, car on l'avait chargé d'écrire des milliers d'adresses sur des enveloppes et des cartes postales publicitaires. Son père tombe gravement malade et il subvient aux besoins de toute la famille.

Finalement, Takéo Fujisawa devance l'appel sous les drapeaux, et ainsi, en tant que soutien de famille, il s'engage en qualité de cadet dans l'armée, dans le but, non avoué, d'effectuer un an de service militaire au lieu de deux.

Après cette année passée sous les drapeaux, Takéo Fujisawa retourne à la case départ ; c'est-à-dire à son travail d'écriture d'adresses, plus humilié encore que la fois précédente. En 1934, il décroche un emploi dans une société qui commercialise de l'acier, et rapidement il s'affirme comme l'un des meilleurs de l'équipe de vente.

7.

L'APRÈS-GUERRE

Son année sabbatique achevée, Soichiro Honda reprend le dessus. Toujours attisé par le démon de la mécanique. En octobre 1946, à Hamamatsu, il fonde une nouvelle société : la Honda Technical Research Institute.

Jamais en panne d'idées, Honda San se met à fabriquer des cyclomoteurs avec des moteurs de récupération. Pendant la guerre, en effet, des milliers de groupes électrogènes avaient été construits pour l'armée afin d'alimenter les émetteurs-récepteurs des unités militaires disséminées à travers les îles de l'archipel nippon. La jeune société acheta à bas prix les centaines de groupes cédés par les militaires. Il ne restait plus qu'à démonter les moteurs et à les adapter sur des bicyclettes. L'assemblage de ces bicyclettes à moteur assure à Honda un joli chiffre d'affaires. L'engin, très vite adopté par la population, se transforme en véritable manne. Le succès commercial est foudroyant.

Au lendemain de la guerre, le Japon connaît des

67

périodes difficiles sur le plan du ravitaillement, et les citadins sont contraints d'effectuer des dizaines de kilomètres pour acheter de quoi survivre. Surtout dans les fermes. Ces distances, ajoutées au fait que le pays est des plus vallonnés, rendent les voyages éreintants. L'arrivée de la bicyclette à moteur Honda tombe à pic...

Pendant que Tokyo détruit allait repartir avec un dynamisme typiquement japonais, Takéo Fujisawa se rend, lui, dans la capitale en 1948. Il n'a qu'une volonté en tête : trouver un moyen de prospérer. Par hasard, il rencontre dans la rue Hiroshi Takeshima, l'un de ses vieux amis.

Hiroshi Takeshima persuade alors Fujisawa de rencontrer Honda dont il lui avait déjà parlé quelque temps auparavant. Hiroshi savait que Honda se développait et qu'il recherchait quelqu'un pour l'aider sur le plan financier et le seconder sur le plan commercial.

Honda et Fujisawa se rencontrent pour la première fois en août 1949 dans la maison de leur ami commun Takeshima. Soichiro Honda n'a rien oublié.

« Lorsque je suis entré dans la pièce et que je vis Takéo Fujisawa, j'ai eu le sentiment que j'avais en face de moi quelqu'un avec qui j'aurais envie de partager des choses importantes. Durant la conversation nous avons parlé de beaucoup de sujets, pas seulement d'argent. Très vite, nous sommes tombés d'accord. La compagnie dorénavant sera dirigée par le tandem que nous allions former. Je détiendrais 42 % des actions de la société, lui 30 % et les employés 28 %. Cette solution m'a tout de suite plu. Avec Fujisawa nous étions complémentaires. Sa personnalité était totalement différente de la mienne, mais nous avions les mêmes objectifs de reconquête. Si, par exemple, nous nous étions fait le pari de gravir le mont Fuji, nous y serions parvenus tous les deux mais par des chemins différents. Sa manière d'aborder les problèmes me fit comprendre qu'il allait m'aider à mettre en forme et à exploiter mes idées théoriques. »

D'ordinaire plus réservé, Takéo Fujisawa ne cache pas, pour une fois, son sourire. Serrant la main de Soichiro, il se laisse aller à la confidence.

« Vous êtes tout simplement l'homme de la situation ; celui avec qui j'ai décidé de faire du business ! »

Quelques années plus tard il souligna l'importance de leur union.

« Je n'avais jamais rencontré de personnage aussi incroyable. Même dans les livres et les romans, je n'avais jamais entendu parler d'un homme comme lui. »

Le secret de la réussite de Soichiro Honda s'est toujours appuyé sur ce principe auquel il n'a jamais failli : « Notre compagnie doit apporter au plus large public, partout dans le monde, des produits aux niveaux de service et de rendement les plus élevés. Tout ceci au plus juste prix. »

Il a d'abord créé, à la différence des autres

grands constructeurs, un important secteur consacré à la recherche. Chez Honda, la mise au point de nouvelles techniques permettant de faire évoluer le plaisir d'utilisation n'a jamais été le fruit du hasard mais une constante. Celui qui a enfourché dès 1968 la magnifique moto CB 750 ou bien s'est glissé sur le siège d'une S800 (dont l'aiguille du compte-tours flirtait avec le chiffre 10 000) sait de quoi je veux parler.

Nobuhiko Kawamoto, dès son arrivée à la tête de la compagnie en juin 1990, adopte le même style de travail et de direction que son illustre prédécesseur. Reprenant jusqu'à son petit rire nerveux. Autre point commun : leur passion partagée pour la formule 1. Simplicité oblige, il adopte la tenue de travail typique d'un travailleur japonais constituée d'une courte veste, voire d'un tablier blanc. Attachant, lui aussi, peu d'importance à son statut, il conduit lui-même sa voiture pour se rendre chaque jour de son domicile à son travail. A noter également que l'actuel numéro un ne dispose d'aucun bureau particulier au sein de la firme. Ce qui ne l'empêche pas de voir loin :

« Les années quatre-vingt-dix, me confie-t-il, seront dominées par l'adoption de nouvelles valeurs s'appuyant sur une harmonie entre l'environnement et la société. »

Il ne fait aucun doute pour lui que les constructeurs automobiles qui auraient tendance à rechigner dans ce domaine mettront leurs chances de survie en péril.

« Mister NSX », comme on le surnomme désormais en hommage à sa création la plus significative, pense effectivement que cette fin de siècle sera dominée par ces problèmes écologiques et une plus grande internationalisation des activités de Honda.

Sans se départir de la mission léguée par Soichiro Honda, M. Kawamoto souhaite créer un véhicule fixant de nouveaux standards et qui deviendrait une amorce pour l'industrie du siècle prochain en matière d'environnement, d'énergie et de sécurité. Il a donc lancé un programme de recherche pour le développement de nouvelles technologies qui rendront, dans le futur, les voitures plus écologiques. Ainsi Honda va-t-il poursuivre ses efforts dans le domaine des véhicules électriques, un marché d'avenir.

En Europe, les constructeurs font de même mais avec plus de prudence. La firme japonaise a franchi le premier pas en construisant une moto alimentée par la fée électricité.

Toujours dans le cadre des « power products », la firme Honda se retrouve seule au sommet de la vague en proposant un moteur marin hors-bord de quatre temps baptisé BF 35/45 qui fait d'ores et déjà sensation parmi les milieux écologistes nippons.

Parallèlement, le constructeur s'empresse d'emboîter le pas aux autres grands de l'industrie automobile japonaise en mettant sur pied un « comité de recyclage ». Les dirigeants souhai-

71

taient tenir compte dorénavant de tous les stades d'activité, du développement de la production jusqu'à la vente et les déchets.

Ainsi, dès la phase de conception, les ingénieurs doivent impérativement tenir compte du caractère récupérable du matériel utilisé.

En ce qui concerne ses recherches sur la sécurité, le constructeur japonais souhaite conserver son rôle de pionnier en la matière. Ce programme d'avenir reste donc fidèle à la philosophie de la maison, inaugurée dès ses débuts par Soichiro Honda.

Le nouveau président se plaît donc à fixer d'ores et déjà de nouvelles normes pour les voitures de demain. Toutes les technologies avancées seront au préalable testées avant d'être éventuellement appliquées sur la voiture de M. Tout-le-Monde. Les techniques utilisées en Formule 1 trouveront, elles aussi, une application plus large. Honda dispose de plusieurs organisations de recherche et de développement pour ses départements moto et auto, sans oublier les power products. Ces travaux de recherche fondamentale et de développement sont concentrés désormais au Wako Fundamental Technology Research Center. Les chercheurs étudient l'électronique, les nouveaux matériaux et la biotechnologie dans la perspective d'y élaborer les technologies d'avenir qui seront à la base des véhicules de la future génération.

En 1990, le laboratoire SOFT (Social Observation of Future Trends), à savoir le Centre d'observation sociale des tendances futures, était inauguré. Comme l'avait souhaité Honda San, des recherches en matière de nouvelles technologies y sont menées, plus spécifiquement sur les rapports entretenus dans le futur entre l'homme et la machine, entre l'homme et l'environnement. S'ajoute également à cette longue liste de laboratoires de conception le Wawe qui, lui, se penche sur les formes les plus attrayantes qui emballeront demain ces merveilleuses machines.

8.

LE DÉMARRAGE

Dès 1948, Honda Motor démarrait ses activités avec une structure et une philosophie qui seront à la base de la réussite que l'on connaît.

Takéo Fujisawa est aux commandes de l'outil marketing et gestion, et Soichiro Honda imagine les engins dont le public ne pourra se passer.

Et, concernant la recherche liée au développement, Honda San est très aidé par Kiyoshi Kawashima qui fit ses études au Collège technologique de Hamamatsu avec une conscience plus assidue que celle de son patron...

Les premières productions de la toute nouvelle Honda Motor Company sont des moteurs de 50 et 98 cm^3 prenant place sur des bicyclettes conçues par des fournisseurs extérieurs.

Dans l'atelier d'Hamamatsu, une petite chaîne d'assemblage permet à une équipe d'ouvriers de monter les moteurs 50 cm^3 sur des bicyclettes, mais un système différent est mis en place pour les 98 cm^3.

A la suite d'entrevues avec les concessionnaires

chargés de la distribution locale de ces deux
« cyclomoteurs », il est décidé que Honda Motor
et le fabricant de bicyclettes livreraient leurs
éléments séparément afin qu'ils soient assemblés
par les mécanos de chaque garagiste. L'idée pouvait paraître ingénieuse, mais malheureusement la
pratique met en évidence les failles du système.

La compagnie Kitagawa, chargée de fabriquer
les parties cycle, n'arrive pas fournir plus de
60 unités par mois, tandis que Honda fabrique
plus de 100 moteurs dans le même délai ! Bien
entendu, les distributeurs ne constituant pas de
stocks, Honda se retrouve très rapidement avec
des dizaines de moteurs invendus :

« Avec Fujisawa, nous avons constaté, grâce à
cet épisode malheureux, qu'il était indispensable
d'être indépendant à 100 % afin de ne pas souffrir
des problèmes qui pourraient survenir chez des
sous-traitants que nous ne contrôlerions pas du
tout. De plus, lors de cette affaire, nous nous
sommes aperçus que Kitagawa limitait volontairement les livraisons de nos parties cycle car il
préparait avec un concurrent motoriste un projet
de vélomoteur... »

En parallèle à ses activités de fabrication de
moteurs, Honda travaille avec Kawashima sur le
premier deux-roues de la marque 100 % made by
Honda.

C'est en août 1948 que fut achevé le premier
prototype qui devait être mis en fabrication quelques semaines plus tard.

Afin de présenter cette première machine originale, la compagnie organisa un cocktail interne dont l'un des buts, en dehors de boire du saké et du whisky local, était de faire une séance de brainstorming pour trouver un nom à la machine !

« Pendant la fête, l'un d'entre nous, je ne sais plus lequel, s'exclama en anglais : " It's like a dream ! " Je repris aussitôt pour dire : " No ! it's not like a dream : that's dream ! " Ayant le sentiment que nous ne pourrions faire uniquement que du commerce local mais qu'il faudrait se tourner vers l' " overseas market ", je décidai de donner un nom anglais, international, à cette machine. Et " Dream " était vraiment le nom qui allait le mieux à cette machine. »

Ainsi, officiellement, cette première « moto » Honda porte le nom de « Dream Type D » et est aujourd'hui en bonne place au musée de Suzuka.

Afin de commercialiser ce produit 100 % maison, Fujisawa décida d'adopter une politique commerciale très stricte.

Puisque la société a risqué d'être mise en péril par les pratiques douteuses de Kitagawa, Fujisawa lance une contre-offensive lors de la commercialisation du « Dream ».

« L'idée de Fujisawa a été de créer un véritable réseau de distribution comprenant des concessionnaires et agents exclusifs pour vendre le " Dream " ainsi que les modèles qui allaient suivre. »

LE DÉMARRAGE

La mise en application du principe, nouveau pour l'époque en matière de deux-roues, ne fut pas si simple.

Les premiers distributeurs contactés furent ceux qui commercialisaient déjà le Honda 98 cm^3 sur base Kitagawa :

« Notre discours était simple : vous devez choisir entre Kitagawa et Honda, car nous souhaitons des distributeurs exclusifs. »

Au cours des premiers mois, le réseau mit du temps à se structurer mais, les ventes devenant de plus en plus importantes, les distributeurs comprirent qu'il leur fallait proposer un service après-vente de qualité et que, par conséquent, avoir une concession exclusive était forcément un atout formidable.

Dans cette optique, Honda semblait être le bon choix car nul n'ignorait les projets de développement de Honda et Fujisawa qui, grâce à leurs premières créations, démontraient de réelles capacités à créer des produits totalement nouveaux et performants.

En réalité, la mécanique commerciale était simple : des territoires géographiques étaient alloués à des distributeurs qui, sur le terrain, avaient leurs vendeurs. Localement, chaque distributeur pouvait mener sa propre politique commerciale en accord avec le fabricant.

Cinquante années plus tard, cette tactique commerciale est toujours d'actualité au Japon, mais le rôle des distributeurs s'est beaucoup élargi : ils ne sont plus seulement des coordinateurs commerciaux, ils sont aussi des créateurs de services nouveaux pour la clientèle.

Ainsi, certains gèrent des écoles pour passer son permis de conduire, ainsi que pour se perfectionner ultérieurement en pilotage, d'autres s'occupent de sociétés de tourisme qui organisent des voyages de supporters pour aller assister à des épreuves sportives, etc.

Étant très proches de la clientèle, ces distributeurs ont des sources d'information très importantes pour les constructeurs.

Les services marketing consultent d'ailleurs fréquemment ces distributeurs qui leur donnent la confirmation des souhaits réels de la clientèle.

Ces détails sont très importants pour ceux qui, au sein de l'entreprise, préparent les modèles de demain.

Dès la commercialisation du Dream Type D, les distributeurs firent savoir à Honda que la machine était agréable à conduire, fiable, jolie en plus, mais que le bruit du petit moteur deux temps faisait mal aux oreilles de ceux qui conduisaient ou croisaient l'engin sur les routes nipponnes et qui de plus s'habituaient très bien aux doux ronflements des moteurs quatre temps de la concurrence.

Honda San et Kawashima frisèrent la méningite pour tenter de résoudre l'équation commerciale de Fujisawa :

Succès = moteur quatre temps + atout technique original !

LE DÉMARRAGE

C'est au printemps 1951 que les deux techniciens compères présentèrent leur dernier-né : le moteur type E destiné à équiper le futur modèle Dream Type E.

Il s'agissait d'un moteur quatre temps de 146 cm^3 qui développait 5,5 CV avec comme particularité de posséder un arbre à came en tête. Cette technique, nouvelle pour l'époque, de l'arbre à came, puis du double arbre à came en tête, fut à l'origine de la fabrication de millions de moteurs par Honda, et aujourd'hui encore plus de quarante années ont passé et de nombreux modèles de la gamme actuelle sont équipés d'un moteur de ce type.

Afin de prouver à Fujisawa que ce moteur quatre temps était tout à fait performant, Kawashima et Honda proposèrent une balade à Fujisawa :

« Je me souviens que c'était la mi-juillet et qu'il faisait un temps épouvantable... Avec Kawashima, nous avions équipé un Dream du prototype de notre nouveau moteur. Depuis plusieurs semaines, il tournait sur un banc d'essai, mais son utilisation dans des conditions réelles allait nous en dire plus sur ses réelles performances.

« Fujisawa était arrivé le matin à l'usine d'Hamamatsu où nous avions nos ateliers de recherche et développement.

« Le test était simple : pour la première sortie du prototype, nous devions faire le trajet d'Hamamatsu jusqu'au sommet du mont Akone qui surplombait le lac Ashi.

« Kawashima prit le guidon de l'engin et j'embarquai Fujisawa dans la grosse voiture américaine, une Buick ou une Chrysler, que je possédais à l'époque.

« Dès la mise en route, Fujisawa sourit en entendant le bruit du moteur. Le petit monocylindre 4 temps ronronnait plus agréablement que nos précédentes réalisations.

« En réalité, depuis la création de ce moteur, Honda ne fabriqua que des moteurs quatre temps. De plus, les moteurs quatre temps sont plus pratiques à ravitailler car ils utilisent de l'essence et non du mélange dans lequel l'huile est incorporée.

« Cette option du quatre temps pour tous nos produits fut sans doute à la base de nos succès commerciaux importants dans le domaine des moteurs marins hors-bord, des groupes électrogènes, des motoculteurs et des petits cyclomoteurs 50 cm^3.

« Ce n'est que dans les années 70, entre autres avec la gamme des motos de cross réservées à la compétition, les 125 et 250 cm^3 Elsinore, que Honda a remis en production des moteurs deux temps, mais ceux-ci sont toujours restés marginaux en comparaison de l'ensemble des productions puisqu'ils représentaient moins de 1 % des productions de la marque, tous types de matériels confondus.

« Mais revenons à cette journée d'essai pluvieuse de juillet 1951. Kawashima prit la route et nous le suivîmes à quelques dizaines de mètres dans ma voiture. Arrivé au point le plus haut de la route menant au mont Akone surplombant le lac Ashi, Kawashima était rayonnant ! Il venait de faire la route à une moyenne de plus de 45 km/h et sans aucun souci mécanique. Pour le premier essai d'un prototype, c'était exceptionnel. Cela voulait dire aussi que nous ne nous étions pas trompés sur la technique de l'arbre à came en tête qui allait devenir aussi dans les prochaines années une signature Honda. »

En 1950, la Honda Motor s'est agrandie et Tokyo devient, en plus d'être la tête de pont commerciale, la ville où Honda crée sa deuxième unité de production. C'est cette unité qui fabriquera, dès la fin de 1951, le Dream Type E à raison de presque 900 exemplaires par mois.

Afin d'obtenir ce rendement, l'usine de la capitale emploie bientôt plus d'une centaine d'employés. Et déjà Honda San se crée sa réputation : il est très souvent sur les lignes d'assemblage et s'intéresse de près au quotidien des ouvriers.

Très vite, il comprend qu'il faut donner à chaque employé les moyens de réagir à sa fonction au sein de l'entreprise. Si l'un d'entre eux trouve un moyen simple de rendre plus fonctionnelle sa tâche, des dispositions doivent être prises très vite. Si, en plus, un employé trouve un moyen astucieux d'augmenter le rendement, une prime lui sera accordée.

Avec une centaine d'ouvriers et un seul modèle

en fabrication, cette forme de raisonnement atteint rapidement ses limites, d'autant plus qu'à l'époque l'usine ne fait que de l'assemblage, la plupart des composants venant de l'extérieur.

C'est pourquoi, à cette époque, l'argent rentre chez Honda mais en ressort aussitôt pour payer les nombreux sous-traitants. De plus, les marges consenties aux distributeurs n'étant pas très importantes, la recherche et le développement n'avaient pas de gros moyens pour étudier les futurs modèles.

C'est Fujisawa qui, une fois de plus, eut l'idée du moment :

« Fujisawa a très vite compris que le Dream Type E était plus qu'une banale réussite commerciale. Il y avait un engouement extraordinaire pour cette machine, et les clients n'arrivaient pas à expliquer l'attirance qu'ils avaient pour elle.

« Ce succès commercial allait de pair avec le succès mécanique : en effet, le Dream tombait rarement en panne, ce qui était nouveau à l'époque. C'était aussi agréable pour le propriétaire que déplaisant pour le distributeur qui faisait un mauvais chiffre d'affaires sur le plan du service après-vente.

« Une seule solution par conséquent pour faire du chiffre : vendre encore plus !

« Fujisawa annonça un beau matin à ses distributeurs que chaque bon de commande devait être accompagné du règlement intégral de la machine commandée ! Émoi chez les distributeurs qui durent demander à leurs clients de payer d'avance. »

Une Honda, cela se mérite, et Fujisawa l'a compris très tôt. Depuis toujours, la politique commerciale et publicitaire de la marque est fidèle à ce concept. Vous ne verrez jamais une publicité Honda où l'on bradera une machine. Il en est de même pour les jeux télévisés comme « The Wheel of Fortune » où jamais Honda n'offrira une machine comme lot publicitaire. Quarante ans plus tard, une Honda ne se gagne pas en répondant à deux ou trois questions insipides d'un jeu télévisé. Elle se mérite et il faut donc pouvoir se l'offrir.

La formule de « prepaid » mise en application par Fujisawa permet de mettre en marche les recherches pour la mise au point de futurs modèles.

« Je me souviens de l'épouse de Fujisawa qui m'avait dit un jour que le Dream était peut-être une machine intéressante, mais que pour elle, en tant que femme, elle la trouvait trop grosse et compliquée à faire fonctionner. Dans cette période d'après-guerre, il est vrai que les femmes avaient de plus en plus de charges à l'extérieur de leur maison et qu'il devenait nécessaire d'inventer un moyen de déplacement économique, facile à utiliser et, de plus, d'un design sympathique et attrayant pour une clientèle féminine. C'est à partir de ce " brief " que j'ai conçu le " Cub " type F, propulsé par un moteur de 50 cm^3 qui développait 1,25 CV. En réalité, j'avais repris l'idée du type A, c'est-à-dire de mettre un moteur sur une bicyclette.

« Sur le Cub, j'avais facilité l'adaptation car le moteur était disposé directement sur la roue et surmonté, sous le porte-bagages, d'un réservoir. Les couleurs rouge et blanc de l'ensemble en faisaient un engin sympathique, et son principe d'avoir un moteur dans la roue fut un succès mondial vingt ans plus tard avec la sortie du P50.

« En attendant, lorsque Fujisawa découvrit le Cub, une idée de génie lui traversa l'esprit ! »

En 1950, le réseau de distributeurs de deux-roues représentait environ 400 concessions sur l'ensemble du territoire japonais. Pour les projets de Honda Motor, ce réseau paraissait bien faible...

Fujisawa pensa alors utiliser un réseau déjà existant : les marchands et réparateurs de bicyclettes. Après tout, le Cub n'était qu'une bicyclette à laquelle on avait ajouté un moteur. Il y avait donc au Japon plus de 53 000 marchands de bicyclettes qu'il fallait convaincre de devenir vendeurs-réparateurs de cyclomoteurs.

Fujisawa écrivit une lettre type qu'il envoya à tous ces distributeurs en puissance. Le contenu de la lettre faisait vibrer la fibre patriotique : « Vos ancêtres ont su, après la guerre russo-japonaise, s'adapter à ce commerce qui fait de vous aujourd'hui un homme prospère. Dans la période que nous traversons actuellement, au lendemain d'une terrible guerre, les besoins ont changé et vos clients

réclament des moyens de transport motorisés.
Notre compagnie développe ce type d'engins. Si
vous êtes intéressé par nos produits, n'hésitez
pas à nous écrire pour obtenir plus de détails.
Nous sommes à l'écoute de tous ceux qui veulent
nous aider à mieux faire connaître nos productions. »

Plus de 35 000 réponses parvinrent par courrier au bureau de Tokyo. Après traitement de
l'ensemble du courrier, Honda mit en place un
véritable réseau de 13 000 vendeurs portant
l'enseigne de la firme de Hamamatsu.

Afin de répondre aux premières demandes, il
fallut optimiser la production de l'usine d'Hamamatsu où très vite on parla de « flux tendu »,
technique qui permet d'utiliser les produits
manufacturés à l'extérieur sans les stocker.

En juin 1952, Honda Moto livre sa première
« fournée » de Cub : 1 500 exemplaires.

Le terme « fournée » s'adapte bien car le Cub
se vend comme des petits pains !

C'est véritablement le succès commercial de
l'année, et l'usine ne peut fournir les vendeurs
qui se rendent au siège, des millions de yens en
liquide dans leurs poches, pour supplier Fujisawa de leur livrer d'autres modèles.

Bien que le Cub soit mécaniquement fiable, de
petites pannes peuvent toujours arriver. Il est
donc nécessaire de former les nouveaux concessionnaires au B.A.-BA de la mécanique. Pour
cela, l'usine de Tokyo, qui permettait jusqu'alors

d'assembler le Dream Type E, fut reconditionnée en école d'apprentissage mécanique.

Chaque vendeur devait obligatoirement y séjourner lorsque Honda le jugeait utile afin d'y apprendre non seulement les bases nécessaires à la réparation du matériel de la gamme, mais aussi pour y découvrir les spécificités des nouveaux modèles.

Des diplômes sont d'ailleurs remis à chaque mécanicien qui suit un stage allant de trois à dix jours.

Aujourd'hui, ce système existe encore et constitue l'un des secrets de la réussite obtenue par la marque au niveau de la qualité de ses concessionnaires.

La séparation des réseaux de distribution en fonction des modèles commercialisés est une des autres clefs de la réussite commerciale du groupe qui fut reprise dans les années soixante par des constructeurs automobiles américains et japonais.

Pour l'heure, 1952 est l'une des années clés de l'expansion de Honda Motor.

« Il a fallu réorganiser nos usines, acheter des terrains pour en bâtir de nouvelles, à Yamato, Shirako et Aoi. Le problème que nous rencontrions à cette époque venait des équipements vétustes de nos usines. Nous fabriquions des motos très en avance sur le plan technologique avec des outils du XIXe siècle ! »

Avec Kawashima, Honda San partit faire un voyage d'études aux USA afin de voir les fournisseurs de machines de précision américains. C'est en 1953 qu'arrivèrent les machines commandées six mois auparavant.

Grâce à ces nouveaux moyens de production qui coûtèrent un demi-milliard de yens à la compagnie, les trois nouvelles usines purent mettre en fabrication les nouveaux modèles qui allaient élargir la gamme.

Cette expansion aussi rapide fit se poser des questions aux banquiers de la compagnie, en particulier ceux de la banque Mitsubishi... Quelques années auparavant, ils avaient refusé un prêt au tandem Fujisawa-Honda qu'ils n'avaient pas pris au sérieux. Il faut avouer qu'à l'époque l'entretien s'était déroulé de façon particulière :

« Je me souviens que Fujisawa et moi étions très impressionnés à l'idée de rencontrer ces personnages que j'imaginais austères. Nous avions eu l'idée d'organiser un dîner, ce qui nous permettrait de créer une atmosphère plus détendue que lors d'un rendez-vous classique au siège de la banque. Pour être sûrs d'une atmosphère réussie, nous avions prévu un numéro dans lequel je jouais le rôle d'une geisha, une de mes imitations favorites, et Fujisawa celui d'un chanteur classique japonais interprétant quelques airs connus entre deux de nos facéties et histoires drôles.

« La soirée fut formidable ! Nos banquiers rirent, mangèrent et surtout burent tellement que nous n'abordâmes à aucun moment le sujet initialement prévu...

« Le lendemain, Fujisawa se rendit dans un costume strict à la banque et s'entendit dire que la soirée avait été appréciée mais qu'il semblait incongru de prêter des sommes d'argent importantes à une si jeune société dirigée par deux responsables qui, à leurs yeux, avaient plus de chances de concurrencer Laurel et Hardy que Ford et Renault.

« Comme en deux ans la Honda Motor avait investi plus d'un milliard et demi de yens avec un capital de seulement 60 millions de yens, nous étions obligés de réussir, et cette fois-ci, avec l'appui des banques en cas de coup dur. »

Lors du rendez-vous provoqué par la Mitsubishi Bank, Fujisawa et Honda ne purent s'empêcher de faire leur « pas de deux » habituel mais cette fois-ci en version soft... Ils subirent un véritable « examen de passage » au cours duquel tous les sujets furent abordés. Les banquiers voulaient comprendre le « système Honda », avec ses techniques de paiement par avance, son réseau de diffusion original, ses astuces d'organisation et de management, etc.

A un moment, l'un des banquiers lança : « Messieurs, votre entreprise paraît avoir un grand avenir, et je pense que vous avez déjà vos successeurs désignés : vos fils. » « Pas du tout ! » répondirent en chœur les deux hommes.

« Il ne s'agissait pas pour nous de faire de Honda Motor une entreprise familiale à la japonaise. Notre souhait était de créer une entreprise privée, ouverte au public par le biais des actions qui, déjà à l'époque, appartenaient aux employés de la compagnie qui possédait le statut de société anonyme. »

Heureusement que les banques « suivirent » Fujisawa et Honda, car l'année d'après ne fut pas des plus brillantes, au point même de frôler la faillite, qui aurait été l'une des plus retentissantes du pays.

En 1953, les usines fabriquaient toujours le Cub, le fameux Dream Type E et le Benly, une petite moto de 90 cm^3 qui filait à 65 km/h, vitesse séduisante pour l'époque.

Un an plus tard, la gamme ne s'était élargie que d'un seul modèle, le très original Juno.

« A la lecture des magazines spécialisés européens, j'avais été surpris de l'engouement pour le scooter en Italie. Les jeunes en étaient fanatiques, et pourtant les engins qu'ils trouvaient sur le marché étaient bruyants, mal équilibrés, à tel point que les passagères devaient s'asseoir en " amazone " afin que l'engin puisse rouler à peu près droit...

« Je me suis penché sur le problème et c'est ainsi qu'est né le Juno. Un scooter made in Japan qui fut le premier à posséder une coque en polyester (les modèles italiens en métal étaient plus lourds) et un moteur placé de façon à ne pas le déséquilibrer. En moins d'un an, il passa de la planche à dessin aux vitrines de nos distributeurs. Il s'avéra que cette rapidité ne fut pas le gage d'une réussite technique probante. Le Juno démarra très vite commercialement, mais sa conception révéla très rapidement des lacunes importantes. La rapidité de sa mise en fabrication ne permit pas de faire des essais poussés avec les prototypes.

« Les premiers clients firent malheureusement les frais de cette erreur : très vite, on s'aperçut que le polyester vieillissait mal et qu'il était très fragile, surtout lors des chutes où il se cassait. Le moteur, emprisonné dans la carrosserie, supportait mal de fonctionner à petite vitesse ou lors d'arrêts prolongés de l'engin. Pour la première fois, des clients Honda n'étaient pas satisfaits et ils avaient raison. »

A côté de ce premier accroc commercial et technique, le reste de la gamme avait du mal à tenir la « dragée haute » face à la concurrence.

Au début de l'année 1954, la mode du Cub était passée, le Benly et ses pétarades odorantes était boudé par le public. Seul le Dream Type E trouvait encore quelques acheteurs tandis que fulminaient les propriétaires de Juno abonnés aux pannes à répétition.

Au sein de l'entreprise, les échos prenaient une résonance particulière. Le doute commençait à s'installer dans l'esprit des ouvriers de la compagnie. Depuis 1953, un syndicat s'était implanté dans la société, et ce fut tout d'abord un choc pour Soichiro Honda :

« Ce fut pour moi une nouvelle incroyable : comment ceux avec lesquels je travaillais chaque jour, et qui pouvaient s'adresser à moi quand ils le souhaitaient, avaient-ils pu me faire une chose pareille ? C'est ce raisonnement-là qui me fit fondre en larmes lorsque j'eus connaissance de l'existence du syndicat. J'avais l'impression qu'ils ne me faisaient plus confiance et qu'ils me traitaient comme un patron ordinaire, alors que, avec Fujisawa, nous voulions faire de cette compagnie une société au capital ouvert à tous et en particulier à ceux qui y travaillaient. Il est vrai que ma première réaction était peut-être primaire, mais en tous les cas elle était sincère.

« En réalité, j'ai très vite accepté le principe du syndicat en découvrant que nous allions dans le même sens. Les membres du syndicat m'en donnèrent la preuve au cours du passage difficile de l'année 1954. Peut-être parce que j'avais fait preuve d'honnêteté à leur égard en leur expliquant que la situation dans laquelle nous nous trouvions était le résultat d'une succession d'erreurs dont j'étais le principal responsable.

« Très rapidement, les discussions entre le syndicat et la direction aboutirent à un plan de redressement qui consistait à trouver très vite des améliorations techniques au Dream Type E afin de le rendre plus compétitif face à la concurrence, et surtout à réfléchir sur de nouveaux modèles et définir une politique pour installer l'image de la société.

« En fait, si les banques nous ont fait confiance lorsque nous leur avons annoncé que nous ne voulions pas faire de notre compagnie une société familiale, je pense que les syndicats ont réagi de la même manière. Et il est vrai que, pour nos ouvriers, travailler chez Honda ne signifiait pas travailler pour enrichir les familles Fujisawa et Honda, mais pour une société dont ils pouvaient acquérir des parts. »

9.

L'OUVERTURE SUR LE MARCHÉ INTERNATIONAL

De 1954 à 1960, la production de deux-roues Honda ne connaît pas de lancement de modèles spectaculaires. Les modèles qui sortent des chaînes nipponnes au cours de cette période sont des évolutions de modèles éprouvés comme, par exemple, le Dream.

L'unique modèle 100 % original qui fut créé à cette époque, c'est le Supercub. Ce modèle, à mi-chemin entre le scooter et le vélomoteur, est le plus gros succès mondial de ventes d'aujourd'hui : toujours construit dans plusieurs usines à travers la planète, plus de 25 000 000 de modèles ont été livrés depuis 1958 !

Son succès sur les cinq continents en a fait un engin universel connu des Ivoiriens, des Malaisiens comme des Parisiens. Celui que l'on nomme le Supercub, plus connu sous le nom de C 50, C 70, C 90, C 100 selon sa cylindrée, est tellement répandu dans le Sud-Est asiatique et notamment à Saigon que, durant la guerre du Viêt-nam, les Américains l'avaient surnommé « Honda City ».

« Fujisawa, Kawashima et moi-même avions compris que la seule solution pour gagner était d'être leader non seulement dans son pays, mais aussi sur un plan mondial. C'était peut-être prétentieux, mais, après une analyse du marché et des constructeurs qui se le partageaient, notre objectif ne paraissait pas totalement utopique... Nous pensions sincèrement que si nos produits étaient imaginés de façon à séduire aussi bien un Américain, un Allemand, un Italien qu'un Japonais, nous serions capables de devenir un leader mondial.

« Le Supercub prouva très vite que nous avions raison.

« Mais, néanmoins, à la fin de l'année 1954, nous sortions d'une crise grave et nous avions peu d'armement pour partir à l'assaut des " overseas markets ". Tant sur un plan interne, afin de donner un objectif à nos ouvriers, que sur un plan externe, pour nous faire connaître à l'échelon mondial, il nous fallait trouver un challenge.

« Nous avions choisi le sport.

« Participer au championnat du monde motocycliste était une aventure qui, si nous réussissions, nous permettrait de créer notre notoriété sur le plan international avec une image de qualité formidable et, de plus, sur le plan interne cela apporterait un grand coup de fouet au moral des troupes !

« En 1948, les nageurs japonais avaient remporté, aux jeux Olympiques de Los Angeles, une victoire mémorable qui passa presque inaperçue au-delà de nos frontières.

« En revanche, vous ne pouvez vous imaginer l'effet que produisit dans notre pays la montée du drapeau japonais au-dessus du podium, accompagnée de l'hymne national. Ce fut sans aucun doute l'une des raisons du redémarrage fulgurant de l'économie japonaise.

« Après tant de moments difficiles qui prolongeaient l'humiliante défaite, le Japon attendait un événement pour reprendre confiance et montrer au reste du monde qu'il se remettait petit à petit sur pied.

« Le retour au pays de l'équipe des nageurs olympiques menée par Furuhashi fut digne des grands aviateurs après un exploit, tel Lindbergh après sa traversée de l'Atlantique, fêté par tout New York en liesse. »

Honda s'était fixé comme podium olympique de remporter l'épreuve légendaire de la compétition motocycliste de l'époque : le Trophée de l'île de Man. Située entre l'Angleterre et l'Irlande, l'île de Man était, chaque année, en juin, le théâtre de vigoureux affrontements mécaniques entre les constructeurs qui, pour l'occasion, se disputaient les meilleurs pilotes du moment.

Pour Honda, en 1954, l'axe principal de la politique de l'entreprise à moyen terme est ainsi définie : faisons-nous connaître aux yeux du monde entier en nous distinguant dans les courses motocyclistes, ce qui prouvera la qualité de nos matériels.

L'idée était excellente, mais la réalité posait un problème : fabriquer des modèles populaires qui roulaient à 45 km/h sur les routes de la banlieue de Tokyo était une chose très différente que de se lancer dans la fabrication de prototypes destinés à aller affronter les spécialistes des circuits qui ont pour nom Norton, Gilera, NSU ou BSA...

Une nouvelle fois, un voyage d'études s'imposait :

« Un périple européen me fit découvrir le monde des deux-roues de course européens. Je me suis surtout attardé en Angleterre afin d'observer l'avance que possédaient nos futurs concurrents sur le plan technique. Je m'aperçus très vite que les motos qu'ils fabriquaient n'étaient pas comparables avec nos productions de l'époque : moteur surpuissant, parties cycle évoluées, suspensions spéciales, systèmes de freinage particuliers pour la compétition...

« Nous étions loin d'avoir abordé tous ces points spécifiques qui font la différence entre un engin pour se rendre à son travail et une machine de compétition !

« Le voyage fut donc très enrichissant, même si l'accueil des Britanniques fut des plus froids vis-à-vis des deux "Japs" que nous étions, mon ami professeur à l'université de Tokyo et moi-même, et nous semblions symboliser à leurs yeux l'armée japonaise qui mit à mal la flotte britannique pendant la guerre.

« Nous étions partis avec une seule valise et nous sommes rentrés à Tokyo avec plus de cent cinquante kilogrammes de bagages. Notre shopping allait permettre à Kawashima et à son équipe de réfléchir à l'amélioration de certains équipements existants.

« En réalité, nous avons acheté chez des détaillants ce qui se faisait alors de mieux dans chaque type d'équipements : pneus, amortisseurs, freins, chaînes, roues, poignées, embrayages, etc.

« Après tout, il nous fallait rapidement nous mettre au niveau des meilleurs, et leur expérience devait nous être utile.

« A l'issue de plusieurs mois de travail, plusieurs prototypes furent construits.

« L'un des principaux problèmes auxquels nous fûmes confrontés fut le régime moteur.

« Afin d'atteindre la puissance qui semblait être nécessaire pour être compétitifs vis-à-vis de nos adversaires et pouvoir espérer les surclasser en course, les moteurs de nos motos de course devaient tourner à des régimes très élevés : plus de 10 000 tours / minute.

« Déjà sur le Cub nous avions des problèmes mécaniques au-delà de 7 000 tours / minute.

« Il est vrai qu'il est plus difficile de faire tourner vite un moteur quatre temps qu'un moteur deux temps. Il y a beaucoup plus de pièces en mouvement à l'intérieur et la température met l'acier à rude épreuve.

« Le refroidissement et la lubrification furent deux axes de recherche étudiés très intensément par nos laboratoires. Pour le développement des moteurs, deux jeunes ingénieurs furent nommés responsables de projet : Tadashi Kume (qui devint vingt ans plus tard président de la société) et Kimio Shimmura.

« Leurs recherches s'étendaient à l'étude de différents types de moteurs car, outre la course prestigieuse de l'île de Man, nous visions la participation de notre marque dans l'ensemble des catégories du championnat du monde : 125 cm^3, 250 cm^3, 350 cm^3 et 500 cm^3.

« Convaincus que le moteur quatre temps était l'arme absolue pour le deux-roues de M. Tout-le-Monde comme pour les bolides de course, nos ingénieurs imaginèrent des solutions originales par rapport à la concurrence.

« Si j'avais rapporté d'Europe des " morceaux de technologie ", ce n'était pas pour les copier stupidement. C'était dans le but de les faire étudier et de tenter de trouver des solutions différentes pour arriver à un meilleur résultat.

« Cela a toujours été comme cela que nous avons appréhendé la recherche. La copie n'a jamais fait évoluer les choses. Pour nous imposer vis-à-vis du monde, il nous fallait prouver nos capacités à créer des concepts nouveaux.

Le simple fait de concevoir des petites motos à moteur quatre temps pour le grand public fut une nouveauté.

« Les Européens avaient jusqu'alors l'habitude de " cyclomoteurs " ou " mopeds " à moteur deux temps qui pétaradaient, suintaient du fameux mélange poisseux d'essence et d'huile qui les faisait fonctionner. Odeurs nauséabondes, bruits de crécelle, taches de mélange, tel était le lot quotidien de l'heureux propriétaire d'un tel engin.

« Il est vrai que l'arrivée du quatre temps et de son silence, associé à la propreté de son moteur et de ses échappements, faisait la différence.

« Concernant la compétition, les équipes de recherche et développement prirent le parti d'orienter leurs recherches sur les moteurs à plusieurs cylindres.

« Afin de pouvoir réaliser ce type de moteur, il faut être très sûr de sa qualité de fabrication : plus il y a de cylindres, plus il y a de pièces et plus elles sont petites. Et, plus une pièce est petite, plus sa fabrication est minutieuse.

« Il est vrai que les Japonais ont toujours été salués pour la qualité de leurs produits miniaturisés.

« Nous devions démontrer que ces merveilles de mécanique étaient également de redoutables engins de compétition.

« Kawashima assembla la première moto de course de la marque.

« Lors des essais, nous devions rencontrer énormément de problèmes liés aux très grandes vitesses atteintes par les pièces en mouvement, aussi bien à l'intérieur du moteur (pistons et soupapes, par exemple) que sur les parties extérieures (roulements de roues, chaînes de transmission, etc.).

« Après une série de débriefings techniques réalisés avec l'ensemble des responsables techniques, j'émis une idée : et si nous allégions l'ensemble de ces pièces ? Si nous trouvions le moyen de les rendre plus légères, peut-être que l'effort moins important à développer pour les faire se mouvoir nous ferait gagner de l'énergie et dégagerait moins de chaleur également.

« A partir de cette hypothèse, l'ensemble du service compétition creusa dans cette voie et trouva rapidement des solutions intéressantes.

« Afin de ne pas être ridicules vis-à-vis de la concurrence, nous avons reporté de quelques années nos ambitions de remporter le Trophée de l'île de Man.

« Il était préférable de nous entraîner, à la fois les machines et les hommes, lors du championnat national pendant quelques saisons au lieu de nous ridiculiser sur les circuits européens face à des adversaires au plus haut niveau.

« Sur les circuits japonais, nos adversaires avaient déjà pour noms Kawasaki, Yamaha et Suzuki.

« Nous remportions sur le plan national des succès importants, et le " Honda Racing Team " se forgeait une réputation sur les circuits japonais. »

En 1954, pour juger des forces internationales du moment, un déplacement fut organisé pour aller disputer le Grand Prix de Sao Paulo au Brésil.

Lors de cette épreuve, les écuries les plus importantes étaient présentes, ce qui permit à Honda de bien observer leur comportement au niveau de leur organisation avant et pendant la course.

« Pour cette course, il s'agissait d'un " round d'observation " et ce fut plutôt une heureuse surprise de terminer à la treizième place une épreuve que se disputaient vingt-deux concurrents.

« Cette participation fugitive et discrète marqua tout de même les esprits : longtemps les mécanos de chez NSU, MV AGUSTA et BSA se rappelleront leurs collègues japonais, courtois, organisés, pas encore dans le coup, mais... Un pressentiment laissait à l'esprit de chacun qu'il faudrait très bientôt se méfier de leurs machines. Leur absence des circuits internationaux durant plusieurs années ne faisait qu'augmenter la tension chez les autres : quand reviendraient-ils ?

« En effet, tout le monde savait que, lorsqu'ils reviendraient, ce ne serait pas pour faire de la figuration.

« Curieusement, s'il n'y avait pas de mécanos et de pilotes japonais sur les circuits, les journalistes remarquaient que de nombreux " confrères " photographes du pays du Soleil-Levant étaient très attentifs aux compétitions... »

Photographes ? Certains disaient qu'ils avaient affaire à d'honorables ingénieurs qui se camouflaient en journalistes afin de circuler dans les stands des grands prix en photographiant les petits secrets croisés sur leurs chemins... Quelles mauvaises langues !

C'est en 1959 que Soichiro Honda décida de s'engager officiellement dans le fameux TT, le Tourist Trophy de l'île de Man.

Pour cette première participation, Honda fit un choix judicieux :

« Nous avions opté de ne courir que dans une catégorie, les 125 cm^3. Nous avions trois pilotes, Tanigushi, Suzuki et Tanaka, qui terminèrent respectivement 5e, 6e et 8e, ce qui nous permit de remporter le classement par équipes.

« Ce n'était pas si mal pour une première... »

Les autres écuries s'inquiétèrent de cette équipe, car elles étaient persuadées qu'avec des pilotes de haut niveau Honda pouvait déjà gagner...

En 1960, l'équipe revint, toujours humble, juste pour tester d'autres machines de 125 cm^3 et 250 cm^3...

C'est en 1961 que Honda créa l'événement : les bolides nippons remportèrent les cinq premières places en 125 cm^3 et 250 cm^3.

« Ce fut fantastique ! Pour la première fois, nous pouvions dire que Honda devenait une entreprise

Soichiro Honda a débuté en 1930 une carrière de pilote automobile en tant que « gentleman driver ». Il remportera plusieurs épreuves au volant de voitures de sa conception.

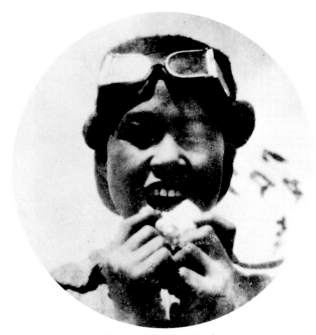

Enfant, Soichiro Honda
était déjà passionné par l'aviation.
Cette photo, sur laquelle on le voit avec un casque
et des lunettes d'aviateur, était sa préférée
et il l'avait toujours sur lui.

A l'âge de dix-sept ans, Soichiro Honda pilote un side-car
dans les rues de Tokyo, au lendemain du tremblement de terre
qui dévasta la capitale japonaise en 1923.

En 1925, comme tous les jeunes garçons de son âge, Soichiro Honda doit se présenter à l'examen physique réservé aux conscrits. Au premier rang à gauche, il se fait déjà remarquer en étant le seul habillé à l'occidentale...

1933, les années folles sont aussi les années « play boy » du jeune Soichiro. Pour parfaire sa panoplie de séducteur, il conçoit lui-même le canot automobile à bord duquel il aime naviguer en charmante compagnie.

En avril 1928, Soichiro Honda a 22 ans et dirige sa première société, la filiale à Hamamatsu du garage de son premier employeur Art Shokai.

En 1936, Soichiro Honda et son jeune frère ont un terrible accident lors du All Japan Speed Rally a bord d'une voiture (n° 20) de sa conception propulsée par un moteur d'avion. Soichiro Honda stoppera ainsi sa carrière de pilote de course et souffrira jusqu'à la fin de sa vie d'une légère paralysie faciale.

En 1951, l'usine de Tokyo fabrique à la chaîne
la première motocyclette à moteur 4 temps signée Honda :
la Dream type E de 146 cc de cylindrée.

Durant sa carrière de chef d'entreprise,
Honda a passé plus de temps dans les bureaux d'études et sur les chaînes d'assemblage
que dans les conseils d'administration ou les dîners en ville.

Soichiro Honda, à la fin des années soixante, créa le Ob Club, où se rassemblaient les employés de la société qui avaient vécu sur le terrain les premières victoires de Honda en compétition et pratiquaient le pilotage pour le plaisir.

En novembre 1947, Honda met sur le marché son premier deux-roues : une bicyclette animée par un moteur de groupe électrogène provenant des surplus de l'armée japonaise : le type A de 50 cc.

En octobre 1951, Soichiro Honda annonce la sortie imminente de son premier deux-roues à moteur 4 temps, cent pour cent conçu et produit par son usine : le Dream type E.

Pour les Japonais, le scooter n'est pas une invention italienne... En 1954, Honda sort le Juno modèle K de 200 cc, premier deux-roues au monde à carrosserie en matière plastique.

Août 1958, Honda lance sur le marché le deux-roues actuellement le plus vendu dans le monde : le Cub. Les Américains avaient surnommé Saigon « Honda City » pendant la guerre du Viêt-nam, car la ville était envahie de Cub.

Soichiro Honda, ici entouré de geishas lors d'une soirée organisée pour des invités de la société, a toujours aimé la vie et les plaisirs nocturnes.

Sachi et Soichiro Honda dans leur maison de Tokyo. Un couple animé par un amour et un respect de l'autre qui furent les ingrédients les plus importants de la réussite de Soichiro Honda.

de notoriété mondiale et que cette victoire totale au Tourist Trophy était notre passeport pour nous implanter dans le monde entier. »

Il est vrai que la presse britannique, bientôt relayée par la grande presse internationale, faisait un écho flatteur aux victoires de Honda : « Les motos japonaises tournent comme des horloges suisses », devait titrer le *Daily Mail*.

Quelques semaines plus tard, Honda devait remporter une autre victoire importante, au pays de MV AGUSTA, de Morini et de Benelli, le grand prix d'Italie.

En ce début de décennie, les grands constructeurs comprirent que désormais il faudrait tenir compte des Japonais en compétition et bientôt sur le plan commercial.

De plus, les victoires Honda associaient des pilotes européens :

« Je savais qu'ils étaient plus fins pilotes que les Japonais. C'est normal car, chez nous, les pilotes ne peuvent piloter et conduire que sur circuit. Il n'existe aucune infrastructure routière et autoroutière qui puisse leur permettre de s'habituer à la conduite rapide sur route. En Europe, tout le monde roule vite et la vitesse, c'est une habitude à prendre au quotidien, et non tous les quinze jours pendant une heure. »

Les pilotes européens avaient aussi un autre avantage : ils annonçaient franchement au « team manager » les améliorations qu'ils souhaitaient voir apporter au matériel. Ils étaient de véritables metteurs au point qui avaient comme référence le pilotage de toutes les meilleures motos européennes qui gagnaient jusqu'à présent.

Il était temps de faire un bilan précis en ce début des années soixante, car les mois à venir allaient être décisifs :

« Depuis 1960, nous avions avec l'usine de Suzuka la plus grosse unité de production de deux-roues du monde, et, grâce à nos victoires en Europe, notre notoriété s'accompagnait d'une notion de fiabilité et de technologie très forte. Nous étions convaincus qu'il fallait pénétrer l'overseas market en commençant par les USA.

« Pour cela, nous avons envoyé Kawashima à Los Angeles afin d'y monter une " tête de pont " commerciale.

« Ce ne fut d'ailleurs pas aussi simple que nous l'aurions souhaité, car l'administration japonaise regarda tout d'abord d'un mauvais œil que nous sortions autant d'argent du Japon pour aller nous installer aux USA.

« Il fallut que Fujisawa intervienne à très haut niveau, auprès d'un important responsable politique, afin que l'administration revoie sa position dans un sens plus favorable pour nous. »

Il faut avouer que Honda et Fujisawa ne se comportaient pas comme les autres sociétés japonaises pour partir à l'assaut des marchés étrangers.

D'habitude, les sociétés comme Sumitomo, Mitsui ou Mitsubishi, lorsqu'elles étudient un marché nouveau, font appel à leur banque et à leur sogo-shosha.

Tandis que la banque réalise une étude de faisabilité financière, la sogo-shosha fait ce que l'on appelle de nos jours un mélange de relations publiques et de lobbying.

Les sogo-shosha sont de véritables antennes de renseignements qui sont en quelque sorte les diplomates commerciaux du Japon à l'étranger.

Plus que du renseignement pour leurs clients, les sogo-shosha montent parfois des opérations en accord avec un pays afin de préparer de futures affaires avec des compagnies japonaises.

Ainsi, il n'est pas rare de voir des sogo-shosha passer des accords avec des pays en voie de développement pour les équiper sur le plan des équipements portuaires, de communication, etc.

La sogo-shosha joue le rôle d'intermédiaire entre ces pays et d'autres, facilitant les rapports par des appuis bancaires d'origine japonaise, puis, une fois les opérations réalisées, elle y implante des sociétés nipponnes.

Honda et Fujisawa voulurent se passer d'intermédiaires : une fois de plus, ils prirent l'avion et allèrent à la rencontre des distributeurs américains.

« Très vite, nous nous rendîmes compte que nous devrions prendre nous-mêmes la distribution en charge, car les Américains ne croyaient pas en nos objectifs.

« Le marché annuel des deux-roues représentait

à l'époque 6 000 machines par an, importées à 95 % puisque seul Harley Davidson avait le label made in USA.

« Avec Fujisawa, nous pensions que ce marché était tout à fait sous-développé et que nous pourrions facilement y écouler 80 000 motos par an, pour commencer...

« Un peu comme les banquiers de la Mitsubishi Bank quelques années auparavant, les distributeurs américains nous prirent pour d'aimables clowns...

« C'est pour toutes ces raisons, et après intervention d'un membre de la Chambre des représentants qui permit de débloquer les fonds nécessaires, que fut créée, en juin 1959, la Honda American Motor Co, avec un capital de 250 000 dollars.

« Jusqu'à cette période, le marché US des deux-roues était réservé à des motos de grosse cylindrée, et il est vrai que l'objectif de 80 000 unités par an était une goutte d'eau par rapport à la population américaine.

« Les États-Unis étaient pour Honda le pays du deux-roues par excellence, la côte ouest en particulier : la taille des villes comme Los Angeles ou San Francisco empêchait tout déplacement à pied.

« D'ailleurs, il est rare de croiser quelqu'un marchant dans la rue, à tel point que, si tel est le cas, le réflexe est de s'approcher avec sa voiture de la personne en question afin de lui demander si elle a besoin d'aide.

« Le climat ensoleillé de la côte ouest permet de rouler en moto pratiquement toute l'année, et la sensation de liberté procurée par la conduite d'un deux-roues va tout à fait dans le sens de l' " american way of life " de l'Américain moyen. Seul handicap pour la moto à cette époque, l'image qu'elle véhicule. »

Si, en Europe, les cyclomoteurs et vélomoteurs font partie du décor avec un côté sympathique à l'image de l'étudiant parisien se déplaçant en Solex ou du bruyant play-boy romain roulant en Vespa, l'image du deux-roues est différente chez les Américains : un motard = un voyou.

Les Hell's Angels et autres bandes de délinquants barbus et tatoués sillonnant les quartiers chauds et terrorisant les petites bourgades à leur arrivée ne donnent pas une bonne image de l'utilisateur de deux-roues...

« Afin de réfléchir à l'approche marketing que nous nous devions d'avoir pour pénétrer le marché US, nous avons consulté une agence de publicité très réputée : Grey. La recommandation de l'agence a été de casser l'image du " motard " classique pour introduire celle de " M. Tout-le-Monde " qui utilisait un Supercub, le premier modèle que nous vendions là-bas.

« De cette idée est née la fameuse campagne qui fut reprise dans le monde entier : " You meet the nicest people on a Honda " (Vous rencontrerez les gens les plus sympathiques sur une Honda). Dans les plus grands magazines américains, des doubles pages en couleur montraient tous les utilisateurs possibles du Supercub : du surfer en maillot de bain et planche sous le bras au " salary man " en costume en passant par la dame très chic avec ses paquets sur le porte-bagages. »

Les plus importants magazines furent les supports de ces annonces presse, et une campagne d'affichage nationale vint appuyer cette stratégie de repositionnement de l'univers des deux-roues.

Kawashima, vice-président de Honda USA, avait aussi repositionné l'image des vendeurs du Supercub. Au lieu de choisir des vendeurs de motos, il tenta de créer un réseau à travers les magasins de sport et de loisirs. Cet univers correspondait mieux à l'image du Supercub.

Très vite, Honda imposa son image de fabricant de deux-roues proche de la famille, et ce fut le démarrage d'une aventure extraordinaire.

Dans les années qui suivirent, les Américains furent les plus gros consommateurs de motos de la planète :

« C'était formidable pour moi car il fallait inventer tous les jours ou presque un nouveau concept. Les Américains voulaient des types de motos différents pour chaque utilisation.

« Parfois, autour d'un même moteur, on parvenait à créer plus de dix machines différentes, de la mini-moto, la Monkey, au trail pour les balades dans le désert en passant par le Supercub.

« Nous avons imaginé tout ce qui pouvait avoir deux roues et un moteur : mini-motos, trails, trials, choppers, motos de route, tous chemins, cross, mopeds, etc.

« Nous avons eu jusqu'à plus de cent cinquante modèles différents sur notre catalogue !

« A un moment même, nous avons eu l'idée de réaliser un engin complètement délirant, un tricycle équipé de roues à basse pression, le US 90, qui devint une star en participant à une séquence spectaculaire, piloté par Sean Connery alias James Bond 007 dans le film *Les diamants sont éternels*. De trois roues, nous sommes même passés à quatre roues en inventant le Quad. »

Cette période des années 60/70 a été sans aucun doute la plus riche au niveau du développement du design et des concepts. Et non seulement au niveau des motos, mais aussi des « allied products », c'est-à-dire des moteurs hors-bord, des motoculteurs, des générateurs, etc.

L'autre grand pari de Honda a également pris naissance à cette période, au tout début des années soixante : devenir un constructeur automobile.

Toyota, Nissan, Mazda, étaient déjà des constructeurs importants au Japon, et presque aucun véhicule n'était parvenu à l'extérieur du marché asiatique.

Aucun réseau de distribution n'avait été mis en place pour l'exportation de ces marques qui, d'ailleurs, ne proposaient pas des modèles attractifs pour la clientèle européenne et américaine.

Mécaniques et carrosseries dataient, et certains

modèles qui répondaient aux normes japonaises ne correspondaient pas aux attentes étrangères.

Honda voulut innover dans ce secteur en appliquant comme stratégie les mêmes techniques que pour les deux-roues : innovation et compétition.

1962, c'est le véritable point de départ de l'aventure automobile de Honda.

Pourtant Honda faillit ne pas pouvoir prendre part à cette compétition industrielle. En 1961, le gouvernement japonais, dirigé par son Premier ministre de l'époque, Ikeda Hayato, évaluait que le secteur automobile serait l'un des plus intéressants sur le plan des exportations, donc des rentrées de devises.

Ce même gouvernement voulut introduire au Japon une technique américaine qui, pour l'instant, avait permis une certaine réussite à l'Oncle Sam : au lieu de laisser créer plusieurs constructeurs qui risquaient de s'anéantir par une concurrence effrénée, mieux valait favoriser deux ou trois d'entre eux et décourager les autres par le vote de lois instaurant des mesures inacceptables.

Honda San, furieux devant ces mesures qui pointaient à l'horizon, fonça dans la mêlée :

« Cette attitude gouvernementale me mit dans une colère noire. Pour lutter contre ces points de vue dirigistes, j'entrepris une véritable campagne de presse, on dirait aujourd'hui une opération de lobbying.

« Je déclarais partout, dans les journaux, à la

radio et à la télévision, que, si le Japon se voulait démocratique, il fallait qu'il laisse toute liberté à ses citoyens pour être heureux. Dans ce cas, comment pouvait-on m'empêcher, moi, Soichiro Honda, qui avais créé ma propre compagnie et avais participé à la prospérité du pays en devenant leader mondial des deux-roues, de vouloir aujourd'hui fabriquer des voitures ? »

10.

L'AVENTURE AUTOMOBILE

Début 1962, divers projets de loi qui étaient à l'étude prouvaient à Soichiro Honda que ses déclarations ne faisaient qu'accélérer le processus qui allait instaurer un système qui privilégierait, à la mode US, trois grands constructeurs :

« La seule riposte semblait tenir dans notre capacité de réagir vite en concevant et fabriquant au moins deux modèles avant que les lois ne soient votées par le Parlement. Fujisawa était d'accord avec moi, il fallait mettre le gouvernement devant le fait accompli ! »

Une fois de plus, Soichiro Honda gagna cette course contre la montre : en octobre 1962, Honda présentait deux modèles sur son superbe stand du Salon de l'automobile de Tokyo.

« Les observateurs et journalistes étrangers n'en revenaient pas !

« En moins d'un an nous avions pu concevoir et mettre en fabrication deux modèles complètement différents. Un miniutilitaire, le T 360, et une voiturette de sport, un cabriolet dénommé S 360.

« Voyant l'effet de cette présentation, je me suis dit alors que le seul moyen qui me restait pour faire plier le gouvernement c'était de produire très vite pour satisfaire la clientèle, et de faire de la compétition. En effet, si Honda parvenait très vite à obtenir des succès internationaux en Formule 1, aucun gouvernement ne pourrait alors lui couper les ailes sans paraître ridicule.

« C'est d'ailleurs lors du Salon de Tokyo que j'annonçais la nouvelle en répondant à une interview.

« Yoshio Nakamura, un de mes fidèles collaborateurs, ingénieur motoriste hors pair qui avait participé à la conception du fameux avion de chasse " Zero ", me présenta un journaliste allemand, rédacteur en chef de sa revue automobile, qui voulait m'interviewer.

« J'acceptais l'interview et, ne parlant ni l'allemand ni l'anglais, demandais à Nakamura de jouer le rôle d'interprète.

« A un moment l'Allemand me demanda si j'avais l'intention d'engager ma marque dans le championnat du monde de Formule 1. Sans sourciller, je répondis que ce serait chose faite dans l'année à venir !

« Nakamura fut tellement surpris de ma déclaration qu'il me demanda si je souhaitais réellement qu'il traduise mes propos... Il est vrai que cette interview, reprise dans la presse mondiale, fit l'effet d'une bombe. N'était-ce pas là l'effet recherché : une petite phrase de moi faisait tout à coup plus de bruit sur le plan international que l'ensemble des discours annuels du Premier ministre Ikeda.

« Maintenant, pour être crédible, et l'ensemble de la société avec, il fallait réussir deux challenges : produire les véhicules présentés sous forme de prototypes lors du Salon et fabriquer un moteur de course capable de faire bonne figure sur les circuits de Formule 1.

« Pour ce qui concernait les véhicules à fabriquer, la compagnie ne pouvait compter que sur ses propres capacités d'ingénierie. Par contre, pour participer au championnat du monde de Formule 1, il fallait trouver un constructeur de châssis qui accepterait de faire confiance à Honda pour équiper ses voitures de moteurs japonais...

« Pour approcher les constructeurs de châssis, Yoshio Nakamura s'attacha les services d'un " consultant ", le journaliste français Gérard Crombac. Grâce à lui, Nakamura rencontra très rapidement les trois principaux constructeurs de châssis : Brabham, Cooper et Lotus. »

En ce petit matin d'hiver, personne ne remarquait spécialement ce Cessna 310 bleu et blanc, immatriculé en Grande-Bretagne, qui roulait tranquillement sur le taxiway de l'aéroport de Toussus-le-Noble, au sud de Paris. Seul le contrôleur de la tour le suivait admirativement des yeux. C'était un amateur de sport automobile, et l'homme qui pilotait cet avion était une de ses idoles.

Après avoir donné les consignes habituelles et le O.K. pour le décollage de l'appareil, le contrôleur, à l'encontre du règlement qui stipule que les correspondants ne peuvent être identifiés autrement que par leur immatriculation, ne put s'empêcher de lâcher un « Bon vol, mister Brabham ! ».

Ce que savait le contrôleur, c'était que Jack Brabham, champion du monde de F1 en 1959 et 1960, rentrait chez lui à Weybridge puisqu'il avait déposé un plan de vol Paris-Toussus / Fairoaks.

Par contre, il ignorait le nom des passagers qui avaient pris place dans le bimoteur d'affaires qui s'envolait vers le QG de la Formule 1, à savoir l'Angleterre.

Les trois passagers de « mister Jack » n'étaient autres que Yoshio Nakamura, l'ingénieur en chef que Honda venait de bombarder responsable du programme F1, Yoshio Takagi, le représentant à Paris de l'Automobile-Club du Japon, et Gérard Crombac, le consultant au service de Honda.

Ces trois hommes étaient engagés dans une course contre la montre : il leur fallait choisir et persuader un constructeur de châssis de signer un contrat pour utiliser les moteurs Honda lors du Championnat 1964.

Ce voyage-éclair allait leur permettre de rencontrer quatre interlocuteurs (Brabham, Lotus, Cooper et aussi Cosworth, le célèbre préparateur songeant à l'époque devenir constructeur).

Après avoir rencontré ces constructeurs, l'un d'eux, Colin Chapman, le patron de Lotus, envoya un télégramme à Soichiro Honda pour le rencontrer au plus vite.

« Quand Colin Chapman est arrivé à Tokyo, il paraissait très intéressé par la possibilité d'utiliser notre premier moteur de F1, un moteur 12 cylindres en V à 60° transversal.

« Il passa beaucoup de temps avec nos ingénieurs pour étudier de quelle manière ce moteur pourrait s'intégrer dans sa voiture de la saison 1964. J'étais très excité car ce devait être Jim Clark le pilote. Formidable pour un début... Malheureusement, l'association Lotus-Honda ne se fit pas ! C'est Nakamura qui reçut en janvier 1964 un télégramme de Colin Chapman révélant que, selon lui, la situation avait changé, car Lotus, soutenu par Jaguar, était obligé d'utiliser des moteurs Climax depuis une récente association liant Jaguar avec Climax...

« Je dois dire que nous avons eu le sentiment que Chapman s'était servi du moteur Honda comme d'une arme auprès de Climax. C'était un moyen d'être sûr de disposer de bons moteurs pour continuer à gagner, sinon il suffisait de mettre le Honda à la place !

« Nakamura, passablement furieux du procédé et surtout d'avoir perdu du temps, répondit par un télégramme des plus courts : " Message bien reçu. Honda suivra seul son propre chemin. " »

Il fallut donc rattraper le retard et surtout devenir constructeur du châssis et partir à la pêche au pilote. Nakamura et Honda se plongèrent dans

les résultats de courses automobiles du monde
entier à la recherche de l'oiseau rare qui allait
piloter la Honda de Formule 1. Très vite, les
recherches se concentrèrent sur le continent américain. En effet, les USA étaient en 1964 le premier
marché à l'export de Honda, et il paraissait
important d'engager un pilote US.

Bien sûr, parmi les stars du moment l'Américain
Phil Hill était en pole position avec son titre de
champion du monde des conducteurs 1961.

La facilité aurait été de le contacter tout de suite
pour savoir s'il accepterait de prendre le volant du
nouveau bolide made in Japan. Yoshio Nakamura
ne tomba pas dans ce piège pour deux raisons :
tout d'abord Phil Hill, en vieux routier des circuits, serait difficile à « gérer » par les Japonais de
l'équipe qui a parfois des impératifs liés au travail
assez éloignés du mode de comportement très star
que l'on connaît chez Hill. D'autre part, les succès
du tandem Honda-Hill seraient plus facilement
imputés au talent du pilote qu'aux qualités de la
voiture...

Pour Honda, le pilote idéal était à découvrir :

« Pour trouver cet oiseau rare, nous avons mis
nos employés de Honda America sur le pont ! A
l'issue d'une première étude ils nous ont fait
parvenir un premier listing de noms de pilotes
américains qui, dans diverses catégories, commen-
çaient à se faire un nom dans le milieu de la
compétition. Parmi ceux-ci, sur les conseils de
Nakamura et de Bernard Cahier, notre choix se

porta sur un jeune Californien de 28 ans, géomètre de métier qui, le week-end venu, se transformait en redoutable pilote amateur qui remporta, au volant de son Austin Healey, toutes les courses qu'il disputa pendant les saisons 1962 et 1963 !

« Il s'appelait Ronnie Bucknum. »

L'affaire se fit alors très vite, à la japonaise. Oakamoto est l'homme de chez Honda qui le premier entra en contact avec le « Californien volant ». Ronnie Bucknum fut tellement surpris du coup de téléphone qu'il reçut qu'il pensa tout d'abord à un canular monté de toutes pièces par quelques-uns de ses amis.

Ce n'est que lorsqu'il rencontra physiquement le mystérieux M. Oakamoto dans un grand restaurant de Los Angeles qu'il comprit la chance qu'il avait : il allait signer un contrat avec la marque qui trustait les victoires en deux-roues et qui voulait maintenant s'attaquer à la Formule 1.

Quelques jours plus tard, Bucknum quittait son Amérique natale pour le pays du Soleil-Levant. Buknum allait immédiatement plonger, s'immerger dans la méthode japonaise : efficacité et rendement maximum. Ce premier voyage n'allait pas être de tout repos.

A peine débarqué à l'aéroport de Haneda, Nakamura l'expédia illico direction Suzuka par le premier train afin que, dès le lendemain matin, il puisse prendre la piste pour essayer la voiture...

Pas de temps mort et aucun espoir de pouvoir faire du shopping ou du tourisme. Chaque minute compte, et très vite on s'aperçoit que pour « Ron » ce sont les secondes qui comptent : premier tour sur le tracé de Suzuka que découvre l'Américain à bord d'un prototype découvert un quart d'heure auparavant, et déjà les chronos s'affolent puisque Bucknum bat le record du tour de plus de quatre secondes.

Les Japonais se disaient qu'ils n'avaient pas fait le plus mauvais choix avec ce Yankee. Il faut dire aussi que le matériel mis à sa disposition était des plus performants, certes, mais que Jack Brabham en personne avait tourné la veille en deux secondes de plus au tour... Bucknum venait de gagner son ticket pour participer aux débuts de l'aventure Honda en Formule 1.

Une aventure qui mit du temps à démarrer car les mécaniciens et les ingénieurs de chez Honda allaient avoir à découvrir sur le terrain les méandres de la mise au point de la mécanique et du châssis...

Soichiro Honda se rappelle :

« Suite au mauvais tour que nous avait joué Lotus, je décidai avec Nakamura de nous procurer une Cooper-Climax de la saison passée pour nous inspirer de l'expérience du célèbre constructeur de châssis. Nakamura arriva à persuader Jack Brabahm de lui fournir une Cooper-Climax avec discrétion... »

A peine arrivée par avion au Japon, la voiture fut carrément désossée par les ingénieurs du service compétition. Le petit moteur 4 cylindres alla presque directement à la casse tellement il paraissait dépassé par le 12 cylindres en V mis au point par Honda. Ce qui intéressait les ingénieurs, c'était la conception du châssis monocoque, invention de Colin Chapman. Il fallut quelques semaines aux techniciens japonais pour créer une voiture fortement inspirée des solutions qui avaient fait leurs preuves dans les modèles de Chapman. C'est avec cette voiture que Bucknum et Brabham firent résonner le son grave du fabuleux 12 cylindres Honda dans les stands du circuit de Suzuka.

Un des jeunes ingénieurs-mécaniciens se souvient :

« La voiture que nous avions réalisée sous la direction de Nakamura était sans doute la plus puissante jamais construite dans l'archipel. Nous avions testé le moteur au banc d'essai et les chiffres nous faisaient rêver : le 12 cylindres développait presque 230 chevaux à 12 600 tours/minute.

« Personne, bien que chacun d'entre nous en mourût d'envie, n'a conduit cette voiture avant que Jack Brabham ne vienne à Suzuka comme pilote-consultant. Il avait l'habitude du pilotage des monoplaces, et c'était grâce à lui que nous avions pu nous procurer la Cooper-Climax qui nous aida à mettre au point notre châssis monocoque. »

Pendant ce temps, le petit monde de la Formule 1 observait de loin les préparatifs de Honda. La presse spécialisée en avait fait un feuilleton, et la voiture était assimilée au monstre du Loch Ness. Certains disaient l'avoir vue, d'autres entendue... C'est *Autosport*, le célèbre magazine anglais, qui enfin mit un terme aux rumeurs les plus folles en publiant, en mars 1964, la première photo de la voiture prise grâce au téléobjectif d'un paparazzo nippon sur le circuit de Suzuka.

Cette photo permit enfin de voir la véritable Arlésienne du sport automobile du début des années 60.

Dès 1961, certains laissaient croire que, de « source sûre », une F1 Honda était quasiment prête... En fait, il fallut attendre deux ans pour la voir en photo et une année de plus pour entendre le mugissement de ses 12 cylindres sur un circuit. Les spécialistes qui avaient fait le déplacement à Monaco, à Spa et à Brands Hatch, en espérant apercevoir la Honda F1 pour ses premiers tours de roue en course, en furent pour leurs frais !

« Nakamura, me dit Honda, avait pour consigne de ne faire participer la voiture que lorsque les essais privés sur le circuit de Zandvoort permettraient de déterminer un seuil de préparation autorisant la voiture à terminer l'épreuve sans problèmes mécaniques majeurs.

« Nous ne voulions pas que la voiture rentre au stand après un tour ou deux ! »

C'est donc lors du grand prix d'Allemagne 1964, à la mi-saison, qu'apparut, dans sa livrée blanche frappée du rond rouge nippon, la Honda F1 arborant le numéro 20.

Quelques jours auparavant, Honda avait convié les journalistes à une conférence de presse, les 23 et 24 juillet 1964, à Zandvoort pour présenter la voiture et son pilote.

Lors des essais du Grand Prix d'Allemagne, la Honda ne fit pas grande sensation sur les 22,8 kilomètres de circuit du Nürburgring, au cœur de la forêt de l'Eifel. Les chronos sont assez décevants puisque Ronnie Bucknum, avec un temps de 9 min 34 s, est à plus de 1 minute de la voiture qui partira en tête sur la ligne de départ, la Ferrari rouge de John Surtees.

Dans le « paddock », derrière les stands, Bucknum se détend en famille tandis que Nakamura se confesse :

« Pour nous, c'est un véritable test en grandeur nature. Au Japon, les essais effectués sur le circuit de Suzuka ne nous permettent aucune comparaison puisque jamais une autre Formule 1 n'a pu y tourner.

« C'est pour cela que sur les conseils de Jack Brabham nous sommes venus en Europe pour trouver un circuit sur lequel il serait possible de faire des comparaisons. C'est donc en Hollande, sur le circuit de Zandvoort, que nous nous sommes installés pour de longues séances d'essais. Quand nous avons vu que Ron tournait à quelques secondes du record du tour, nous avons pris la décision de présenter la voiture officiellement à la presse et de nous engager dans la foulée à l'épreuve du Nürburgring.

L'AVENTURE AUTOMOBILE

« Le Nürburgring est à l'automobile ce qu'est l'île de Man à la moto : un tracé légendaire quasi mythique. »

Les presque 23 kilomètres qui se déroulent dans le massif de l'Eifel avaient été aménagés en 1925 et, quarante ans plus tard, c'est toujours avec une certaine appréhension que les pilotes s'engagent dans la ligne droite des tribunes pour s'élancer sur la piste.

Le « Nurbur », comme le surnomment les pilotes, réserve parfois de drôles de surprises au hasard de ses 173 virages et de sa bonne dizaine de bosses :

« Il n'est pas rare, déclare Jack Brabham, de passer devant les stands avec un soleil radieux avant de se retrouver en plein brouillard dix kilomètres plus loin avant de se retrouver sous un déluge d'eau au kilomètre 15, tout cela avec parfois quelques animaux, lapins et bovidés au beau milieu de la piste ! »

Bucknum, lui, n'a pas l'air d'avoir des soucis...

Il mâche pratiquement autant de chewing-gum que Nakamura grille de cigarettes.

En quelques heures il a découvert le monde de la F1 et l'un de ses circuits les plus durs :

« Cela faisait deux jours que j'étais arrivé, et, en attendant ma Honda, j'ai loué une voiture américaine dont je connaissais bien les réactions pour aller tester le circuit qui, en dehors des compétitions, est ouvert à la circulation. On ne peut pas dire que j'étais terrorisé par le tracé qui m'amusait

plutôt. J'avais l'impression de " faire la course "
sur une route normale avec une vraie voiture de
Formule 1. »

C'est donc très détendu mais hypermotivé que
Ronnie Bucknum prit le départ de l'épreuve le
2 août à 14 heures :

« La puissance du moteur m'a permis, dès le
début de la course, de " sauter " quelques concurrents pour arriver au 8ᵉ tour à me classer en
11ᵉ position. Malheureusement, en abordant le
virage du Carrousel, la direction cassa : j'ai foncé
tout droit sur un talus, puis je suis tombé dans un
ravin, bien à plat sans me retourner. J'en fus quitte
pour quelques points de suture et un genou râpé.
La voiture, elle, fut très endommagée, et nous
avons dû déclarer forfait au Grand Prix d'Autriche
trois semaines plus tard. »

Les ingénieurs japonais réussirent à préparer
une nouvelle voiture en un temps record puisqu'une nouvelle F1 Honda était inscrite au Grand
Prix d'Italie de Monza.

Soichiro Honda se rappelle :

« Monza était très important pour moi car
j'avais toujours eu une attirance particulière pour
la France et sa cousine latine qu'était l'Italie. On
m'avait parlé du déchaînement des fidèles de
Ferrari surnommés les tifosi qui mettaient une
ambiance incroyable dans les tribunes. Devant ce
public de connaisseurs, je voulais que la Honda
Motor soit à la hauteur, et déjà nous avons pu
présenter une innovation technique majeure sur

124

notre voiture : un système d'injection unique qui remplace les douze carburateurs. »

Il est un fait que Honda pouvait mieux s'exprimer sur le circuit milanais où Bucknum réussissait à prendre le départ en milieu de grille. Celui-ci se souvient :

« Je pense que pour tous les amateurs de sport automobile les deux pilotes les plus légendaires de l'histoire sont sans doute Juan Manuel Fangio et Jim Clark. Déjà, en 1964, Jim Clark était une véritable idole et moi un simple petit pilote américain qui, du jour au lendemain, s'était retrouvé au milieu des stars grâce à une équipe japonaise qui m'avait remarqué. C'est dire que j'étais heureux lorsque, à l'issue de la séance d'essais du Grand Prix de Monza, Jim Clark s'approcha de moi pour me féliciter de mes résultats. »

Ainsi mis en confiance, Bucknum prit un départ sur les chapeaux de roues et faillit percuter Graham Hill immobilisé au centre de la piste au volant de sa BRM dont l'embrayage venait de lâcher.

Pour le plus grand plaisir des tifosi, Bucknum fit la démonstration de la puissance du V12 Honda en accomplissant des dépassements « historiques » comme, par exemple, le saut de puce de trois concurrents qu'il réalisa dans le virage qui précède la ligne droite des stands.

Malheureusement, tant de puissance réclame un système de freinage à la hauteur... Ce n'était pas le cas, et au 13e tour, alors que Bucknum était pointé à la cinquième position, les freins lâchèrent et une fuite aspergea Ron au visage.

La voiture rentra dans les stands sous les applaudissements du public et n'en ressortit pas.

La saison 1964 se termina sur la victoire au championnat du monde de l'ancien pilote motocycliste John Surtees qui entrait, par la même occasion, dans le livre des records pour être le premier et actuellement toujours le seul à avoir été champion du monde sur deux et quatre roues.

A l'aube de la saison 1965, Soichiro Honda fait ses calculs :

« 1964 fut une très bonne année pour la compagnie tant sur le plan sportif que purement business.

« En moto, nous avons remporté le Tourist Trophy de l'île de Man dans toutes les catégories (125, 250 et 350 cm^3).

« Pendant ce temps, Honda France SA à Paris et Asian Honda Motor s'établissaient à l'étranger, tandis qu'au Japon la nouvelle usine de Sayama entrait en activité, et au total la Honda Motor avait exporté 600 000 machines dans l'année ! »

Soichiro Honda prend une importante décision :

« Je savais qu'il fallait enfoncer le clou en 1965 au niveau de la Formule 1 et je donnai à Nakamura les moyens de ses ambitions. Désormais, il pourrait engager deux voitures à chaque Grand Prix. »

Nakamura se souvient :

« Fin 1964, quand Honda San me donna le feu

126

vert pour la saison suivante, la première chose que je fis a été de débaucher un pilote metteur au point que je surveillais depuis deux saisons : Richard Paul Ginther, surnommé Richie Ginther.

« Ancien pilote Ferrari et BRM, il allait nous apporter ce que Bucknum n'avait pas : l'expérience. »

Durant l'hiver 1964, le circuit de Suzuka voyait se succéder les séances d'essais du Honda Racing Team motocycliste à celles de l'équipe de Formule 1 en quasi non-stop.

Ces séances d'essais furent très bénéfiques à l'équipe de F1 qui progressait à grands pas depuis que Ginther l'avait rejointe. Premier rendez-vous de la saison sur le circuit en ville le plus incroyable du monde : Monaco.

Sous les yeux du prince Rainier et de la princesse Grace, les bolides japonais ne firent pas de merveilles puisqu'ils n'arrivèrent pas jusqu'à la ligne d'arrivée de l'épreuve monégasque, pour des causes mécaniques.

Le reste de la saison fut en dents de scie : des problèmes de fiabilité ne permettaient pas aux pilotes de concrétiser en montant sur les podiums.

C'est en août 1965 que Honda remportait sa première victoire automobile sur le circuit du Nürburgring : Dennis Hulme avait engagé un cabriolet S 600 dans les 500 km du Ring et remportait l'épreuve dans la catégorie des moins de 1 000 cm^3 au nez et à la barbe d'une meute de Fiat Abarth, Austin Cooper et autres Marcos...

Pendant ce temps, en Formule 2, les Brabham Honda se forgent une bonne réputation et deviennent les outsiders de l'année. Pour la compagnie, il était temps de monter sur un podium de F1.

Soichiro Honda :

« 1965 était une année plus importante encore que 1964 pour l'expansion de Honda, et avec Fujisawa nous savions que tout ce que nous étions en train de bâtir pouvait avoir de sérieux problèmes d'image si nous n'arrivions pas à obtenir une victoire en Formule 1.

« Nous avions mis un budget très important et, au bout de deux années et neuf courses, pas un seul podium...

« La réglementation devait changer en 1966 puisque la cylindrée des F1 devait passer de 1 500 cm^3 à 3 litres et nous ne savions pas encore si nous allions faire l'investissement nécessaire à la réalisation de moteurs tout à fait nouveaux. »

La dernière course de la saison 1965 de F1 se déroule à Mexico sur le circuit le plus haut du monde, ce qui n'est pas sans poser des problèmes aux techniciens pour régler au mieux les carburateurs ou injecteurs dans une atmosphère où l'oxygène est raréfié.

L'ambiance au sein de l'équipe Honda était des plus tendues : Honda et Fujisawa attendaient de voir son comportement lors du dernier Grand Prix pour prendre une décision définitive sur l'avenir de la Formule 1 chez Honda Motor...

Lors des essais, Ginther et Bucknum se comportent plutôt bien face à la concurrence, et sur la grille de départ on les retrouve respectivement en deuxième et cinquième ligne.

Ginther était très confiant car il avait réalisé le troisième temps des essais dans la même seconde que Dan Gurney et Jim Clark qui le précédaient. Dans les stands, la tension était à son comble : Nakamura savait que l'un de ses pilotes « devait » monter sur le podium pour que son aventure dans le monde de la Formule 1 puisse continuer et qu'il commence à réfléchir avec les ingénieurs du service de recherche et de développement à de formidables moteurs 10 ou 12 cylindres de 3 litres de cylindrée.

Lorsque le starter donne le départ de l'épreuve, la Honda de Ginther semble démarrer en seconde, poussive jusqu'à ce que les chevaux parlent et propulsent la monoplace en tête du groupe compact qui allait aborder le premier virage de l'épreuve. A son premier passage devant les tribunes, la foule ovationne Ginther qui a presque 250 mètres d'avance sur ses poursuivants, Gurney, Spence, Hill et Stewart.

Jim Clark abandonne au huitième tour, suivi dans ce retour anticipé aux stands par Phil Hill et Jacky Stewart.

Pendant ce temps la Honda de Ginther caracole en tête, avec Dan Gurney dans ses rétroviseurs. Richie se rappelle :

« C'est vrai que dans les tribunes l'ambiance était survoltée, et chaque fois que Gurney se rapprochait de moi je contrôlais totalement la situation. J'arrivais à soutenir le rythme imposé par Dan en ne dépassant jamais 11 000 tr/min alors que j'avais des consignes qui m'autorisaient à pousser jusqu'à 12 000 tr/min.

« De plus, Nakamura avait fait installer un " bouton magique " sur le tableau de bord de ma voiture : il s'agissait d'une commande qui me permettait de régler la richesse du mélange air/essence et donc la puissance de la voiture. Grâce à ce système je pouvais tenir Dan Gurney à distance, et ce jusqu'à ce que je vis le drapeau à damier qui s'agitait devant moi signifiant que je venais de gagner mon premier Grand Prix de Formule 1 avec Honda. »

On comprend la joie de Ginther qui est porté en triomphe jusqu'au podium où il est ceint des lauriers de la voiture pendant que Bucknum savoure sa troisième place. Nakamura a du mal à retenir son émotion et envoie immédiatement un message historique à l'intention de Soichiro Honda resté à Tokyo : « VENI, VEDI, VICI » était le contenu du court message inspiré de celui qu'envoya Jules César à Rome après une de ses victoires.

Ce 24 octobre 1965, Nobuhiko Kawamoto, l'actuel président de Honda Motor, s'en souvient :

« Cette victoire à Mexico, m'a-t-il dit, a été le vrai coup de starter qui nous a permis d'aller plus en avant et de continuer à investir dans l'automobile. La course automobile nous a permis de nous rendre compte qu'il était beaucoup plus difficile de mettre au point une voiture qu'une motocyclette. Nous avions réussi rapidement dans le monde du deux-roues, que ce soit sur les circuits ou commercialement, mais nous avions compris que ce ne serait pas aussi simple dans la compétition et dans l'industrie automobile. »

En 1966, le duo Ginther-Bucknum ne participa qu'à trois épreuves et ne finit que le Grand Prix de Mexico aux 4e et 8e places. A l'issue de cette saison, ils prirent leur « retraite » de la Formule 1, et aujourd'hui Bucknum est toujours géomètre, tandis que Ginther vécut tel un ermite au volant de son camping-car avec lequel il sillonna les États-Unis et l'Amérique du Sud jusqu'à sa mort, en 1989, à l'âge de soixante ans.

11.

LA TRAGÉDIE

En 1967 et 1968, Honda revint sur les circuits de Formule 1 avec un pilote qui marqua son époque. Soichiro Honda se souvient :

« John Surtees était le nom d'un pilote de moto jusqu'en 1960, saison qui vit l'homme quitter le " Continental Circus " pour se retrouver au volant d'une voiture. Peu de pilotes ont réussi avec succès ce passage du guidon au volant, à part Surtees qui allait devenir un formidable pilote au sein de l'équipe Honda. »

Honda San oublie tout de même que le passage de la moto à la voiture avec succès est une spécialité française dont les plus beaux fleurons sont Georges Houel, Guy Ligier, Jean-Pierre Beltoise et, plus proches de nous, Jean-Claude Chemarin et Hubert Auriol. Bien que John Surtees se révélât sans aucun doute comme le pilote le plus valeureux de l'aventure Honda en Formule 1 lors des années 60, il ne remporta qu'une seule course en deux ans (Monza, 1967) et ne monta que sur trois autres podiums.

La saison 1968 fut une saison de crise chez Honda. Cette année-là, Soichiro Honda pesa de tout son pouvoir pour que le service de recherche et de développement réalise un moteur de Formule 1 à refroidissement par air.

Dès 1966, Honda San, qui orientait les recherches des ingénieurs du service recherche et développement de la Compagnie, faisait une véritable fixation sur le moteur à refroidissement par air pour l'équipement des voitures de sa marque. Il me raconte :

« Depuis les Porsche 1962, plus aucune voiture de compétition ne fonctionnait avec des moteurs refroidis par l'air. Cette technique que je connaissais bien à travers les moteurs de motocyclettes permet, à cylindrée égale, des accélérations formidables. Mon idée était que le développement de cette technique était prépondérant pour la Formule 1 et que, pour les voitures de M. Tout-le-Monde, la tendance future serait plus au niveau des sensations, comme celle que peut procurer une vive accélération donnant un sentiment de puissance, que la vitesse pure. Les dernières réglementations américaines le prouvaient avec la mise en application de limitations de vitesse draconiennes.

« Les ingénieurs du centre de recherches et de développement trouvaient, eux, que ces qualités représentaient peu de chose face aux défauts du moteur à air.

« Dans le domaine de la compétition, la surchauffe paraissait difficile à maîtriser et, pour les voitures de série, la chaleur posait des problèmes au niveau de l'habitacle, sans parler des vibrations et du bruit, supérieurs à ceux d'un moteur à refroidissement liquide. »

Malgré les réticences, Soichiro Honda restait sur ses positions :

« Le moins que l'on puisse dire, c'est que j'étais, et que je suis toujours têtu ! A tel point que, même s'il y a eu des discussions, les recherches allaient dans le sens que je voulais. Je me souviens qu'un jour, à bout d'arguments face à des ingénieurs qui avaient de meilleures connaissances techniques que moi, j'avais eu l'idée de leur raconter que, si Rommel avait battu les Alliés dans les déserts d'Afrique du Nord pendant la Seconde Guerre mondiale, c'est parce qu'il était équipé de véhicules militaires propulsés par des moteurs Volkswagen refroidis par air. »

Nobuhiko Kawamoto se rappelle cette période : « A cette époque, l'image de marque de Honda était très bonne dans le secteur automobile grâce aux succès de la petite traction avant à moteur refroidi par air, la N360, et de la victoire en F1 au Grand Prix de Monza. Dès lors Honda San voulut que conjointement nous orientions nos recherches sur une voiture de tourisme de dimensions moyennes à moteur refroidi par air, et également sur le développement d'un moteur de F1 également refroidi par air. J'ai personnellement travaillé sur la voiture de tourisme dont le prototype fut présenté au public en 1969 sous le nom de

Honda 1300. Tadashi Kume fut, quant à lui, chargé de la conception de la Formule 1 refroidie par air qui vit le jour en 1968 : la RA 302. »

Ces deux véhicules furent les dernières voitures à refroidissement par air construites par la compagnie.

Un petit retour en arrière nous aidera à comprendre pourquoi : lorsque John Surtees essaie la RA 302 sur le circuit de Silverstone, ses commentaires ne sont pas encourageants lorsqu'il s'extirpe de la voiture au cockpit très en avant, à l'image des F1 d'aujourd'hui.

« C'est certainement, déclara-t-il alors, un exercice de style intéressant pour des ingénieurs, mais en tant que pilote je dois dire que pour l'instant cette voiture n'est pas compétitive et a des réactions imprévues. »

La voiture avait un look à la hauteur des innovations technologiques liées à sa conception. Les ingénieurs japonais avaient repensé la Formule 1 de A à Z. La RA 302 était la première F1 100 % made in Japan, et son châssis monocoque était construit avec des matériaux utilisés plus souvent dans l'aéronautique et à la NASA que dans le secteur automobile : titane, alliage de métal et d'aluminium permettant à la voiture de ne peser que 500 kg sur la balance, pour une puissance de 350 CV. Un étonnant rapport poids/ puissance qui expliquait les difficultés que Surtees avait eues pour maîtriser le bolide lors des premiers essais le 2 juillet 1968.

MONSIEUR HONDA

Ce même jour, Soichiro Honda était à Paris :

« Le dirigeant japonais de Honda France, m'a-t-il dit, m'avait convaincu que la participation au Grand Prix de France d'une Honda totalement révolutionnaire pilotée par un pilote français aurait d'excellentes retombées médiatiques. Avec mon accord, la voiture, qui était en Grande-Bretagne, fut transportée jusqu'à Rouen, et l'engagement de la voiture se fit sous le nom de Honda France pendant que Jo Schlesser signait le 3 juillet son contrat d'une course au volant d'une Honda. C'est vrai que tout cela s'était fait avec beaucoup de précipitation et que Tadashi Kume n'avait eu que cinq jours pour être prêt, le Grand Prix devant avoir lieu le 7 juillet sur le circuit de Rouen-Les Essarts. »

Sur le circuit, l'arrivée de la RA 302 déclencha la colère de John Surtees qui trouvait stupide de faire participer cette voiture à une compétition alors que quelques jours plus tôt il avait fait la preuve que la RA 302 manquait de mise au point.

Nakamura, en charge de l'équipe officielle, qui avait engagé la traditionnelle RA 301 confiée à John Surtees, était des plus perplexes, comme le montrent ses déclarations à la presse de l'époque :

« Le peu de pièces de rechange dont nous disposions à Rouen ne nous permettaient pas de réparer la voiture en cas de problèmes lors des essais. J'ai donc demandé à Schlesser de ne pas pousser la voiture et de simplement essayer de terminer la course en roulant à son rythme... »

136

LA TRAGÉDIE

Jo Schlesser savait de toute façon qu'il ne pourrait se bagarrer pour un podium au volant d'une voiture qu'il découvrait.

Schlesser découvrait aussi, pour la première fois, le cockpit d'une voiture de Formule 1. Jo avait tout conduit ou presque : des Ferrari aux 24 Heures du Mans, des Mercedes 300 SL, des Cooper de Formule 2.

En 1968, à quarante ans, il était le seul pilote français capable de prendre le volant du monstre japonais. Gérard Crombac se souvient : « Quand Honda France me contacta pour me signaler l'engagement de la RA 302 à Rouen, seul Schlesser était disponible et capable de dominer la puissance de cette voiture. Bon pilote, il collectionnait les titres nationaux en remportant les championnats de France junior 62 et 63 et le titre national en 1964. »

Guy Ligier, son ami de toujours, avec qui il venait de monter une écurie de compétition, était moins exalté que son complice.

« Je ne sais pas pourquoi, m'a-t-il confié, mais cette voiture, je ne la sentais pas. J'avais accompagné Jo et sa femme Annie sur le circuit et, lors des essais, je me rendis compte que la situation était dangereuse.

« La prise en main de la voiture fut des plus brèves puisque la séance d'essai dura moins d'une heure. En montant dans la voiture, Jo fut décontenancé par la position très avancée du cockpit, et la puissance du V8 le surprit à plusieurs reprises, l'entraînant même à un tête-à-queue.

« Le soir même, à la veille du Grand Prix, je lui recommandais de ne pas prendre le départ de la course. »

Bien sûr, Jo n'écouta pas son ami et prit le départ de l'épreuve en dernière ligne, alors qu'une bruine grasse recouvrait le circuit de Rouen.

Dès le départ, Jacky Ickx prenait le meilleur devant un trio composé de Rodriguez, Stewart et Surtees.

Au troisième passage, alors que tout le monde se préoccupait de la bagarre des hommes de tête, une rumeur sourde émanait de la foule qui observait avec effroi un épais nuage noir qui pointait à la verticale au-dessus du virage des Six-Frères.

Un pilote s'arrêtait dans les stands et confirmait la nouvelle, car depuis deux minutes déjà le doute était insoutenable dans le stand de la Honda 18 de Jo Schlesser. Elle ne « passait plus ». C'est elle qui brûlait !

Après avoir tapé un talus pour des raisons aujourd'hui encore inexpliquées, la voiture avait fait des tonneaux qui provoquèrent l'explosion des réservoirs remplis à ras bord, transformant la voiture et son pilote en brasier que le titanium de la coque ne faisait qu'attiser, rendant les pompiers impuissants.

Guy Ligier devint par la suite constructeur de voitures de sport, puis de Formule 1, et tous ses modèles portent un numéro précédé des lettres JS, en hommage à son ami disparu.

12.
HONDA, LE VISIONNAIRE

Après la tragédie de Rouen, Honda reste sous le choc :

« Ce fut affreux pour moi d'apprendre qu'un pilote venait de trouver la mort à bord de cette voiture qui avait été conçue d'après mes théories. A la fin de la saison, Honda Motor annonça son retrait de la compétition en Formule 1. En fait, cette année-là fut une année charnière sur le plan de l'automobile chez Honda, puisque nous arrêtions la compétition pour démarrer véritablement ce qui allait être l'objectif numéro un des années à venir : la construction de voitures particulières. Fujisawa m'invita un soir à dîner, et la tête qu'il faisait dans la voiture qui nous emmenait au restaurant me laissa présager une discussion des plus tendues...

« A peine installés à notre table, il me parla des futures lois américaines que le Congrès devait mettre à l'ordre du jour pour les faire voter rapidement.

« Ces lois " antipollution " concentrées dans un

amendement sous le nom de " Clean Air Act " avaient pour but de mettre en place dès 1975 des règles qui interdiraient la vente sur le territoire américain de véhicules ne répondant pas aux nouvelles normes. Ces normes étaient telles que les quelques années qui nous séparaient alors de la mise en application de cette loi paraissaient très courtes pour trouver des solutions techniques adaptées. Si Fujisawa était si grave, c'est qu'il devait m'annoncer que les premières recherches sur l'antipollution prouvaient que seuls les moteurs refroidis par eau pouvaient prétendre à évoluer vers un seuil de propreté qui pourrait répondre aux futures normes.

« Cela voulait dire que les recherches sur le moteur à refroidissement par air seraient stoppées immédiatement pour que tous les ingénieurs puissent plancher sur les solutions antipollution qui nous permettraient de continuer notre percée sur le marché américain. Fujisawa en profita pour me dire que définitivement la Honda 1300 et le Coupé 1300 étaient certes des bonnes voitures, mais la marge brute que faisait Honda sur chaque vente était ridicule vu l'investissement fait dans la recherche sur le moteur à air et le coût de fabrication prohibitif.

« En bref, ce dîner venait de me faire comprendre en quelques instants que mon choix délibéré d'ignorer les ingénieurs qui planchaient sur le moteur à eau avait été une bévue qui aurait pu coûter très cher à l'entreprise. Une fois de plus, le recul de Fujisawa permettait de rectifier le tir à temps.

« Vous ne pouvez pas imaginer l'ovation que me firent les ingénieurs de Honda R & D lorsque, le lendemain du fameux dîner, je fis moi-même l'annonce de la nouvelle !

« Les mois qui suivirent furent fructueux sur le plan des recherches puisque nos ingénieurs furent les premiers à mettre au point un moteur répondant aux normes fixées par le " Clean Air Act " !

« Les constructeurs américains et européens commencèrent à se poser des questions sur les " petits Japonais " que nous étions à leurs yeux. Notre niveau technologique était une de mes fiertés. Longtemps les Japonais ont souffert de ce que les Occidentaux disaient d'eux : " Les Japonais n'inventent rien, ils ne sont que des copieurs qui ne font qu'améliorer les inventions qui viennent de chez nous. " Combien de fois avez-vous entendu ou lu ces propos ? Trop souvent à mon goût. J'ai toujours été étonné de voir que, depuis les années qui ont suivi la Deuxième Guerre mondiale, les pays qui avaient la chance d'avoir eu de grands inventeurs ne poursuivaient pas le développement de leurs recherches.

« Si vous prenez la France, par exemple, on y inventa la photographie grâce à Nicéphore Niepce et le cinématographe des frères Lumière. Aujourd'hui, il n'existe plus un seul fabricant d'appareils photographiques et de caméras d'amateur français et les Japonais sont les numéros un mondiaux.

Pourtant, il y a eu de bonnes inventions jusque dans le milieu des années 60. J'avais vu un jour, lors d'un de mes déplacements à Paris, un appareil photo jetable Foca vendu sous blister. Je trouvais que l'idée était formidable : on achetait l'appareil, on faisait 12 photos 6 × 6 et on rendait l'appareil à son laboratoire photo qui développait le film et tirait les photos en 24 heures. J'ai appris que, en moins d'un an, Foca avait abandonné la vente de ce premier appareil jetable de l'histoire.

« Aujourd'hui Kodak, Fuji, Konica et bien d'autres ont repris cette idée, et ces appareils, parfois munis d'un flash intégré, d'un téléobjectif ou même d'un équipement sous-marin, sont une source de revenus énormes pour les fabricants de pellicules. Les Français étaient en avance sur leur temps et se sont fait ensuite doubler par des spécialistes du marketing.

« A part le domaine des deux-roues puis des quatre-roues dans lesquels les Japonais ont apporté des innovations importantes, c'est bien sûr dans l'électronique grand public que le succès nippon est le plus visible. Une des découvertes fondamentales de l'électronique, annoncée au lendemain de l'issue de la Deuxième Guerre mondiale, fut celle du transistor par les Américains. Économie d'énergie, de matières premières et d'espace, exigeant des hommes minutieux, patience et inventivité, l'industrie électronique ne pouvait trouver au Japon qu'un terrain favorable à son développement.

HONDA, LE VISIONNAIRE

« Comme dans le secteur auto-moto que je connais bien, le premier objectif des industriels japonais de l'électronique fut de satisfaire l'immense marché intérieur. Faire bénéficier l'homme de la rue des derniers progrès de la technologie est devenu une démarche habituelle de nos jours, beaucoup moins au début des années soixante dans le monde de l'électronique grand public. L'absence de grands programmes spatiaux ou militaires n'offrait guère d'alternative aux industriels japonais : c'est le public et ses besoins ludiques qui ont orienté les recherches de cette industrie qui est aujourd'hui le premier secteur industriel du pays qui, en 1984, a dépassé en chiffre d'affaires le secteur automobile.

« Bien que l'électronique grand public ne représente que 25 % de l'ensemble de la production électronique japonaise, ses trop grands succès remportés sur les marchés internationaux provoquèrent, comme dans le secteur automobile, des frictions commerciales qui conduisirent à des mesures gouvernementales que les Japonais eurent du mal à comprendre. Les magnétoscopes japonais contingentés en France et, quelques années plus tard, des mesures identiques de protectionnisme pour la vente des automobiles dans le pays de mon héros Napoléon n'ont pas été des décisions qui firent un grand plaisir à mes concitoyens.

« Très tôt, pour éviter ce genre de problèmes, Fujisawa et moi avons pris la décision de nous implanter à l'étranger et d'appliquer dans ces usines les mêmes règles de management qu'au Japon. Cela pouvait paraître fantaisiste, mais l'expérience prouva l'universalité de nos méthodes.

« Aujourd'hui, sur les cinq continents, de la Malaisie à la Belgique en passant par le Nigeria, la Grande-Bretagne, la France ou les États-Unis, des usines produisent du matériel Honda dans trente-sept pays.

« Dans presque tous les cas ces machines sont vendues sous la marque Honda mais parfois nous fabriquons des modèles pour des compagnies locales avec qui nous sommes en joint-venture. C'est, par exemple, le cas en France où, en 1991, l'actualité a fait souvent état des rapports tendus sur le plan commercial entre nos deux pays à propos du secteur automobile.

« Et pourtant, si le public était mieux informé, il s'apercevrait que, par exemple, Peugeot et Honda sont plus que des sociétés amies, elles sont associées !

« Peu de personnes savent effectivement que Honda et Peugeot sont associées dans une unité de production de deux-roues, et qu'ainsi tous ceux qui roulent " français " en achetant un scooter Peugeot n'ont qu'à ouvrir le compartiment moteur pour découvrir une superbe mécanique... signée Honda !

« Idem pour ceux qui ne jurent que par le charme des limousines anglaises, du moelleux de leurs cuirs Connoly, du luxe de leurs boiseries en ronce de noyer et de l'agrément de leurs moteurs 6 cylindres... Honda quand on soulève le capot d'une Rover.

« Cela dit, le grand succès de Honda est certes dû en partie à l'universalité de ses techniques de production, mais aussi à l'universalité de ses produits qui rencontrent le succès de manière identique sur tous les continents. Le Cub en est le reflet sur le plan des deux-roues, dont il est aujourd'hui le modèle le plus fabriqué de l'histoire avec plus de 25 millions d'exemplaires vendus, et, dans le domaine de l'automobile, la Civic est considérée comme un best-seller dont les ventes ne cessent de croître depuis la sortie de la première version en 1972. »

Comme le dit Soichiro Honda, la Civic a vraiment été le détonateur de la marque dans le secteur automobile.

De plus, cette voiture fut la première à recevoir le fameux système antipollution CVCC (compound vortex controlled combustion) qui lui permit de répondre aux normes de la loi Muskie aux USA. Ce système, mis au point par les équipes de chercheurs de Kiyoshi Kawashima, a été le fruit de recherches dictées par une observation pleine de bon sens de Soichiro Honda :

« A la sortie du pot d'échappement, me précise-t-il, on s'aperçoit que les gaz contiennent encore des hydrocarbures très polluants. Mon idée était toute simple : il suffisait de concentrer ses recherches pour obtenir une combustion la plus complète possible. »

De cette idée, les ingénieurs de la Compagnie aboutirent à la création d'un concept de double chambre de combustion qui permettait, lié à un système original au niveau de la tubulure d'échappement, d'atteindre les taux de pollution les plus faibles jamais atteints par un moteur à essence. A l'époque, le seul autre constructeur qui arriva à satisfaire le cahier des charges de la loi Muskie était un autre Japonais, Toyo Kogyo, qui obtint des résultats quasi comparables sur un moteur rotatif qui équipa une voiture de marque Mazda.

Quelle revanche pour les Japonais, traités jusqu'alors de copieurs, de pouvoir afficher leurs performances technologiques de telle manière que les Américains durent faire appel à la loi antitrust sous peine de ne voir seuls autorisés à la vente au 1er janvier 1975 que des modèles Honda ou Mazda...

En 1973, Honda partait à la conquête du monde de l'automobile et devait y connaître les succès que l'on connaît à travers la planète grâce à ses gammes de modèles qui ont pour noms Civic, Accord, Prelude et Legend.

Tout comme les deux-roues, Honda fabrique ses voitures un peu partout sur la planète, en particulier aux USA, depuis 1982, et aussi en Grande-Bretagne, suite à un accord de partenariat avec Rover datant de 1983.

Ces succès, tout comme ceux connus par la marque lors de son retour en Formule 1, Soichiro Honda les vivra de manière plus sereine : début

1973, Takéo Fujisawa ouvrait un conseil d'administration en annonçant son prochain départ à la retraite.

Cette décision n'engageait que lui, mais dès le lendemain Soichiro Honda lui fit savoir qu'il le suivrait. Il m'a raconté toute l'histoire.

« Dès que j'appris la nouvelle, ma décision de prendre ma retraite en même temps que mon ami et collaborateur fut immédiate. Il était évident pour moi de quitter mes responsabilités en même temps que celui avec lequel j'avais décidé de créer une équipe pour fonder Honda Motor exactement vingt-cinq ans auparavant. A l'époque, j'avais soixante-six ans, Fujisawa soixante-deux, et nous pensions tous les deux qu'il fallait que l'entreprise soit dirigée par un homme jeune. Une fois de plus nous avons eu une idée qui allait à l'encontre des traditions japonaises...

« Avec le titre de Supreme Advisor, je restais conseiller de la société, et je jouis toujours d'un bureau dans un des immeubles de la compagnie à Tokyo.

« Ce qui me fit le plus plaisir, c'est que mes successeurs, Kawashima, Kume et Kawamoto, m'ont toujours contacté quand ils avaient un problème important à résoudre. Tous sont des hommes formidables qui ont des origines communes. Tous les trois ont porté des combinaisons de mécanicien sur les circuits du monde entier et sont avant tout des fous de mécanique. Kawashima est un peu le père de CVCC, Kume le spécialiste de la Formule 1 et Kawamoto, qui créa la Honda 1300, est aujourd'hui surnommé " Mister NSX ", étant à l'origine de la conception de cette voiture qui est le véritable symbole roulant de la technologie Honda.

« Parallèlement à leurs connaissances mécaniques, ils sont aussi de remarquables managers : ce que Fujisawa et moi faisions à deux, eux l'ont fait ou continuent à le faire seuls ! Quand je dis qu'ils sont seuls à diriger, ce n'est pas tout à fait exact... La direction de la société est assurée par un board de directeurs que l'on appelle le Senmu-Kay. Ce groupe comprend le président de la compagnie, trois vice-présidents, quatre " Senior Directors " et l'ensemble des autres " Représentative Directors ". Quand Fujisawa et moi avons quitté nos responsabilités au sein de la compagnie, il a été constitué trois comités d'experts qui travaillent pour le Senmu-Kay : un comité qui s'occupe des problèmes liés aux personnels, un autre traitant des équipements et le troisième composé de spécialistes financiers. Depuis 1990, le système est simplifié puisque Nobuhiko Kawamoto est Chief Executive Officer (CEO) de la compagnie.

« C'est vrai que mon titre de Supreme Advisor me lie toujours, avec un certain recul, à ses activités, mais depuis 1973 on peut dire que ma vie a complètement changé. Celle de Fujisawa aussi d'ailleurs puisqu'il avait choisi de prendre une retraite paisible et très solitaire, consacrée aux arts qu'il affectionne.

« Quant à moi, l'inaction me paraissait impossible ! J'avais enfin le temps de me consacrer à ma femme et à ma famille. J'en ai d'ailleurs profité pour me " fixer " en prenant le temps de concevoir une vraie maison.

« Depuis que j'ai quitté la maison de mes parents, j'ai changé environ une quinzaine de fois d'adresse. Avec ma femme nous avons décidé de partir en quête d'un endroit où il nous paraîtrait faire bon vivre. Nous l'avons trouvé à quelques kilomètres du centre de Tokyo, non loin d'Ikebukuro. J'ai retrouvé dans ce quartier le Tokyo de mon enfance, celui de l'époque où je travaillais chez Art Shokai. Avec ma femme nous avons voulu concevoir la maison de A à Z, me chargeant plutôt de la disposition des pièces et elle de leur décoration.

« Certains ont cru que je voulais créer une maison à la James Bond, truffée de gadgets : pas du tout ! Je voulais retrouver la commodité des maisons japonaises traditionnelles et la pureté du minimalisme étudié de leur décoration. Tout de même, pour un confort maximal, j'ai voulu marier la tradition japonaise avec le modernisme en équipant le salon de vastes canapés, et d'autres pièces avec des tables et des chaises. Une pièce est également mon jardin secret, il s'agit de mon atelier de peinture. Après la musique et la chasse aux lucioles, c'est depuis presque vingt ans la peinture qui enchante mes moments de création. En plus je n'ai pas choisi ce qu'il y a de plus simple

149

puisque mon choix s'est porté sur la peinture sur soie. Pour maîtriser parfaitement la technique j'avais pendant plusieurs années eu recours à un professeur, un véritable maître qui m'apprit à fabriquer moi-même les peintures que j'utilisais.

« Tant d'efforts déployés pour le plaisir de réaliser des peintures dont le plus souvent le thème est le mont Fuji pour qui j'ai une attirance extraordinaire.

« Une fois cette maison terminée, une deuxième vie a débuté pour moi à travers la création de la Fondation Honda. »

13.

LA FONDATION HONDA

Le xxᵉ siècle est sans aucun doute celui qui a le plus vu l'environnement de l'homme se modifier. Psychologiquement et physiquement, l'homme est confronté à de nouvelles données. Aujourd'hui, les machines qu'il invente sont parfois supérieures à lui dans bien des domaines : quel homme est plus rapide et plus précis qu'un ordinateur, qu'un chronomètre au 1/10 000 de seconde ou qu'un robot qui assemble des voitures à Hamamatsu ?

Certaines de ses inventions lui causent aussi des soucis nouveaux pour la vie future : radioactivité, pollution industrielle, attaque de la couche d'ozone par des gaz créés de manière artificielle comme le fréon, etc.

Soichiro Honda reconnaît qu'il est un des plus grands pollueurs de la planète :

« Comme constructeur de motos et d'automobiles, j'ai conscience que je suis l'un des plus grands assassins de l'environnement. Pour fabriquer ces machines polluantes, les usines consomment de l'énergie et des matières premières qui s'épuisent petit à petit...

« Il y a quarante ans, à mes débuts, qui se préoccupait de ces problèmes ? Personne à l'époque ne parlait de pollution et n'aurait pu imaginer qu'en si peu de temps cela deviendrait d'une importance telle que des partis politiques naissent avec comme programme des bases écologiques !

« A mon humble niveau il n'était pas question de monter un parti politique, je n'en ai pas la vocation, mais plutôt de fonder une structure qui se consacrerait à l'étude de l'homme confronté à de nouvelles valeurs et à l'évolution de l'environnement de manière globale. »

Cette fondation porte le nom de Discoveries et, lors du premier symposium qui se tint à Tokyo en 1976, des savants et intellectuels du monde entier se réunirent pour un gigantesque brainstorming sur le thème de la pratique de l'interdisciplinarité.

Plus tard, à Rome, le thème était « La catastrophe » et ensuite, à Paris, le débat d'idées se faisait sur le thème des « communications dans l'action humanitaire ». Depuis bientôt vingt ans, Soichiro Honda est aussi l'ambassadeur itinérant de cette fondation et, grâce à son immense notoriété, il arrive à mobiliser les hommes les plus importants de la planète.

« De ma vie je n'ai jamais été " groupie ". Jamais, à part Napoléon, je n'ai réellement admiré quelqu'un au point d'imaginer mille et un stratagèmes pour le rencontrer ou obtenir quelque chose de sa part. A soixante-dix ans je pouvais user de mon nom pour pouvoir rencontrer les grands de ce monde dans le but de faire avancer les problèmes de l'environnement. Je ne prêche pas pour ma paroisse car de toute façon Discoveries est en fait une tribune ouverte à tous. J'ai donc pu rencontrer des hommes attentifs aux problèmes traités par la fondation et qui semblaient tous réellement sensibilisés à ces sujets. Parmi toutes ces rencontres, une m'a marqué plus que les autres, c'est l'audience que le président français Valéry Giscard d'Estaing m'accorda au palais de l'Élysée à Paris. Il faut vous dire, pour que vous compreniez mieux l'importance que revêtait cet entretien, que la France est le premier pays dont j'ai entendu parler quand j'étais enfant, et ce grâce à la fameuse chanson que chantait mon père à propos de Napoléon.

« Vous imaginez qu'avec cette référence remontant à ma plus tendre enfance je n'ai pas réussi à trouver le sommeil la nuit qui précéda mon rendez-vous à l'Élysée avec celui qui était en quelque sorte l'un des successeurs de Napoléon. Dans la voiture qui me conduisait de mon hôtel au palais de l'Élysée, les symptômes émotionnels ne faisaient qu'augmenter : les mains moites, une petite fièvre et un début de crise de foie.

« Mon entrée dans la cour d'honneur après être passé sous le porche, salué par les gardes républicains, n'arrangea pas les choses. Les responsables du service du protocole m'avaient accueilli en bas du perron, et le parcours que je fis derrière eux

153

pour parvenir jusqu'au salon où m'attendait le chef de l'État était pour moi totalement magique. J'imaginais tous les hommes importants qui, un jour, étaient passés au même endroit, et toutes les décisions capitales qui avaient été prises dans les bureaux et salons que je traversais.

« L'entretien que j'eus avec Valéry Giscard d'Estaing reste pour moi un souvenir très particulier. Tout d'abord je fus très étonné de voir à quel point le président avait connaissance de mes préoccupations, et la conversation fut d'un niveau qui dépassait de beaucoup l'entretien de courtoisie que je pensais avoir. Par ailleurs, avec le recul, je me rends compte que mon comportement fébrile n'a pas donné l'exacte image de moi, habituellement décontracté et alerte. »

Lors de mon ultime entretien avec Soichiro Honda, en juin 1991 au Japon, je lui avais remis un exemplaire du dernier livre édité par Valéry Giscard d'Estaing, que ce dernier m'avait chargé de lui remettre en main propre et qui comportait la dédicace suivante :

Pour Monsieur Soichiro Honda, dont l'extraordinaire réussite nous a permis de mieux comprendre les rapports entre le pouvoir et la vie, au sein de l'entreprise moderne.
                                    V. Giscard d'Estaing, mai 1991.

Quinze années après leur première rencontre, Soichiro Honda fut très touché :

LA FONDATION HONDA

« Je suis ravi d'avoir ce livre et, comme il est en français, je vais demander à un de mes bons amis de me le traduire au plus vite en japonais. Il n'y a pas très longtemps j'ai vu M. Giscard d'Estaing au journal télévisé et je l'ai trouvé en pleine forme. Depuis que l'on peut regarder le journal télévisé de la chaîne française de service public Antenne 2 chaque matin à la télévision japonaise, je suis de temps en temps les actualités de ce pays qui gardera toujours une place particulière dans mon cœur. »

14.

SOICHIRO HONDA, CÔTÉ JARDIN...

Honda San a toujours aimé faire parler les
autres plus qu'il n'aimait parler de lui. Pourtant,
lorsqu'il était en confiance, il aimait parler de tout,
surtout d'autres choses que de sa société et de ses
succès.

La fondation Discoveries est l'aboutissement
logique de l'œuvre de Soichiro Honda qui n'a eu
de cesse de créer pour tenter d'apporter un peu de
bonheur et de plaisir supplémentaires à ses
contemporains et aux générations futures. Les
sujets favoris de Soichiro Honda ont trait aux
hommes et aux... femmes !

« Les conversations avec les femmes m'ont
appris beaucoup. Les Japonais aiment beaucoup
discuter entre eux, entre amis et aussi entre
collègues après le travail. Il est vrai qu'aujourd'hui
encore nombreux sont les hommes qui, après leur
travail, se retrouvent dans des bars autour d'un
saké pour discuter ou s'extérioriser en chantant
grâce aux karaokés.

« Quand j'étais jeune, la compagnie des geishas

me plaisait beaucoup et, alors que la plupart préféraient les rencontrer en cachette dans les bars où elles officiaient, je n'hésitais pas à me promener dans la rue avec l'une d'elles. Ces femmes sont très instruites et m'ont appris énormément de choses. Peu de gens savent qu'il faut des années, plusieurs dizaines, pour maîtriser parfaitement l'art de faire des bouquets ou d'officier dans une cérémonie du thé. Moi-même, fasciné par cette culture, j'ai voulu en savoir plus sur l'ensemble de ces pratiques charmantes consistant à savoir réciter de jolis poèmes, jouer d'antiques instruments de musique ou interpréter des chansons du répertoire traditionnel. L'ensemble des raffinements proposés par les geishas est pour moi l'expression d'un plaisir unique.

« C'est grâce à elles que j'ai pu apprendre à chanter le " Naganta " qui raconte sous forme d'un poème musical haut en couleur l'histoire de mon pays. Jeux de mots, calembours et contrepèteries sont autant de cordes que ces femmes ont à leur arc pour le plus grand plaisir de leurs hôtes.

« Connaissant quelques classiques de ces répertoires, je m'amuse souvent à en user en société pour déceler les sourires complices de ceux qui devinent d'où je tiens cette... culture !

« Il est dommage que ces traditions se perdent de plus en plus et qu'aujourd'hui les bars de Shinjuku à Tokyo renferment plus de geishas semblables à n'importe quelle hôtesse d'un bar américain des plus communs que d'authentiques geishas à la culture ancestrale.

« Pour tenter de sauvegarder ces traditions, quelques chefs d'entreprise japonais, dont je fais partie, organisent chaque année un festival qui regroupe les amateurs de ces traditions véhiculées par les quelques rares geishas qui les perpétuent.

« Il s'agit d'un véritable tournoi où s'affrontent ces messieurs du troisième âge, parfois du quatrième, et où les arbitres ne sont autres que des geishas parmi les plus expérimentées. C'est lors de ces joyeuses rencontres que je me souviens de toutes les aventures épiques que j'ai partagées avec ces femmes délicieuses. L'une d'elles peut d'ailleurs se vanter d'avoir eu avec moi une aventure... aérienne ! Un jour, un peu éméché par le saké, je faisais des avances telles à une geisha que, en voulant me fuir et moi en voulant la rattraper, je l'ai bousculée et elle est tombée par la fenêtre du premier étage.

« Heureusement l'auberge était à flanc de colline, le premier étage n'était pas très haut, et en tombant, la ceinture de son kimono s'étant accrochée à une branche, la chute fut amortie... Il y eut plus de peur que de mal, et notre relation n'en prit pas ombrage puisque, il y a quelques années encore, je revoyais toujours cette geisha qui, entretemps, avait monté une superbe affaire, un des bars à geishas les plus en vue. »

Certes ces geishas, dont aime à parler Soichiro

Honda avec une étincelle particulière dans l'œil, font partie de sa vie, mais, quand on parle des femmes avec lui, il parle rarement de celle pour qui il a un amour et une admiration sans bornes, sa femme :

« Ma femme est omniprésente dans ma vie. Elle a été de tous les instants depuis le jour où je l'ai vue et où j'ai immédiatement su que j'allais me marier avec elle. A l'époque je m'occupais d'Art Shokai à Hamamatsu et elle vivait à quelques kilomètres de là, dans un petit village qui abritait sa ferme familiale. Dans le Japon de ces années-là et jusqu'à ces dernières années, il était rare d'assister à des mariages d'amour. Les mariages étaient tous arrangés par les familles avec parfois le conseil final d'un astrologue...

« Pour nous aussi la règle était la même ; alors nous avons dû faire croire que notre rencontre avait été arrangée par des voisines de la future mariée qui trouvaient que c'était une aubaine de la marier avec un futur riche garagiste. »

La femme de Soichiro Honda a été présente à tout instant auprès de son mari, mais jamais elle n'a eu à se mêler aux activités de la société. Leur complicité a été telle que seuls quelques regards ou sourires ont parfois suffi à Soichiro Honda pour lui permettre de se dépasser dans ces moments difficiles qu'ils ont eu à traverser. Les Honda ont toujours pensé que l'intervention de la femme dans la vie professionnelle de son mari était souvent le point de départ de nombreux conflits.

« Toute notre vie nous avons préservé notre indépendance tout en n'ayant jamais rien fait l'un sans l'autre. Pendant les périodes les plus périlleuses de ma vie, elle a toujours su m'épauler et comprendre certains de mes comportements en tolérant une " soupape de sécurité " : c'est vrai qu'elle a pu comprendre que parfois j'avais besoin de passer des soirées un peu folles où le saké coulait à flots. »

Mme Honda est apparue de plus en plus en public quand Soichiro Honda a abandonné la présidence de sa compagnie en 1973.

De ce jour, Soichiro Honda et Madame n'ont plus fait qu'un : inaugurations, conférences, voyages pour la Fondation, visites sur les circuits de F1, Mme Honda accompagne toujours son mari.

« Ma femme a réellement beaucoup de qualités que parfois je lui envie. Elle a aussi quelque chose que j'aurais aimé avoir... un brevet de pilote d'avion !

« J'ai toujours été fasciné par l'aviation. Quelle merveilleuse sensation que de pouvoir se déplacer dans les trois dimensions !

« C'est à dix-huit ans qu'avec l'accord de mon père j'ai pu suivre mes premières leçons de pilotage dans un aéroclub de la banlieue de Tokyo. C'était aussi une joie pour moi que d'être en contact avec des aviateurs français à qui revenait la charge d'instruire les apprentis pilotes japonais. Je volais sur des appareils de différents types, mais principalement sur des Nieuport et des Bréguet d'origine française. Un jour j'ai même " emprunté " un mini-avion français venu au Japon pour y effectuer une série de vols de démonstration. C'était un " Pou du ciel ", et c'est avec nostalgie et un petit pincement au cœur que j'ai retrouvé cet avion, plus de cinquante ans plus tard, dans un des halls d'exposition du Musée de l'aviation, au Bourget près de Paris.

« Si l'aviation m'a apporté des grands moments de joie et d'ivresse, j'ai eu aussi mon lot de grandes frayeurs ! La première, lors d'une leçon de pilotage alors qu'avec mon instructeur nous survolions la banlieue de Tokyo : le moteur s'est mis à " rata-touiller " avant que l'hélice ne se mette définitive-ment en drapeau... Heureusement qu'à ce moment-là nous volions à une grande altitude, ce qui nous a permis de planer suffisamment long-temps pour pouvoir trouver au sol un endroit assez long et peu accidenté, une plage, pour nous poser. Nous avons quand même fait une culbute par l'avant, un " cheval de bois ", et, si l'avion était en piteux état, mon instructeur et moi-même n'avons eu que quelques contusions sans gravité.

« A peine de retour à l'aéroclub, les " French Instructors " me proposèrent de reprendre tout de suite les commandes d'un appareil pour éviter que l'appréhension ne me gagne. J'étais bien sûr d'accord, mais mon père, mis au courant de mon accident, arriva sur le terrain et m'interdit immé-diatement de pouvoir imaginer l'espace d'un instant que je pourrais remonter une seule fois dans un de ces appareils qu'il qualifiait de cercueils volants !

« Dès lors, je ne pris plus de cours et je n'obtins jamais ma licence de pilote... Ce qui ne m'empêcha pas de piloter ! Je sais, ce n'est pas raisonnable ; alors, comme je culpabilisais, ma femme passa le brevet et nous volions ainsi tous les deux, elle avec le brevet en poche et moi le manche à balai en main !

« Le Japon étant un archipel très étendu, les différentes usines et bureaux de Honda sont parfois distants de plusieurs centaines de kilomètres. Pour remédier aux problèmes de transport, nous avons créé une filiale, Honda Aviation Co Ltd, qui gère un terrain d'aviation et une flotte importante d'avions mono et bimoteurs ainsi que des hélicoptères. Ces appareils de tourisme et d'affaires sont utilisés pour dispenser des cours de pilotage aux membres du club d'aviation Honda et aussi pour assurer des liaisons rapides aux cadres et dirigeants des sociétés du groupe. »

C'est à bord de l'un des appareils de la flotte de Honda Aviation que Soichiro Honda connaît sa deuxième « catastrophe aérienne », qui faillit lui coûter la vie. A bord du Piper qu'il avait l'habitude de piloter, tout se passait bien jusqu'au moment où Soichiro Honda entama la descente pour arriver en finale sur la piste :

« Brusquement, le moteur, dont j'avais réduit le régime en amorçant ma descente, se mit à avoir

des problèmes d'allumage, pensais-je. Immédiatement je fis la procédure de secours normale en
faisant passer l'allumage sur une seule des deux
magnétos mais, sur l'une comme sur l'autre, le
moteur réagissait de la même manière !

« Aussitôt j'auscultai le tableau de bord, et mon
œil s'arrêta sur le voyant de pression d'huile qui
affichait " zéro " au moment même où le moteur se
taisait, me laissant seul dans le silence... Par
chance, si je n'avais pas l'altitude nécessaire pour
rallier en planant l'aérodrome de Suzuka où je me
rendais, je pouvais tenter de me poser sur un
aérodrome militaire plus proche. Bien qu'il s'agît
d'un appareil civil, la tour de contrôle m'autorisa à
atterrir sur le terrain en procédure d'urgence.
Arrivé sans encombre en bout de piste, un tracteur
vint s'occuper de ramener mon avion jusqu'à un
hangar pour tenter de réparer la panne. Ayant
décliné mon identité au commandant de la base
venu s'enquérir des qualités du pilote civil en
difficulté que j'étais, le responsable, tout heureux
d'accueillir " Honda San " sur son terrain, oublia
de remplir les formulaires d'enquête nécessaires
lors d'un accident de ce type et de vérifier la
validité de ma... licence !

« En un peu plus d'une heure, la panne fut
réparée, les militaires me firent gracieusement les
pleins d'huile et d'essence et applaudirent à tout
rompre quand j'ai redémarré le Piper. Imaginez
dans quel état je pouvais être, à la limite du fou
rire, en roulant vers la piste de décollage, passant

en revue et saluant les militaires qui acclamaient Honda San, le pilote sans licence.

« C'est donc euphorique que je décollai de la base aérienne jusqu'à ce que, quelques instants seulement après avoir survolé le seuil de la piste, à 200 ou 300 pieds seulement, mon avion a fait une brutale embardée sous l'effet d'un important vent de travers. Surpris par ce comportement, j'exécutai une manœuvre désespérée pour rétablir l'appareil, mais, ne connaissant pas bien l'environnement du bout de piste, je percutai une ligne à haute tension. Le choc cassa l'appareil en deux dans une gerbe d'étincelles et il s'écrasa dans une rizière quinze mètres plus bas. Sous la violence du nouveau choc, je me retrouvai quelques instants totalement hébété, incapable du moindre mouvement.

« Tout va très vite dans ces situations ; tout à coup mon esprit a fonctionné comme un ordinateur faisant la synthèse de différents paramètres : lorsque l'on se retrouve imbibé d'essence dans une épave d'avion dont les réservoirs sont pleins et que le feu attaque le compartiment moteur, un instinct de survie vous permet de trouver en vous des forces que vous ne vous imaginiez pas pour pulvériser le cockpit avec vos poings et vous extraire au plus vite de la bombe à retardement qu'était devenu le Piper. Quelques instants plus tard, le Piper explosait, et les pompiers de la base aérienne arrivaient sur les lieux de la catastrophe.

« Me découvrant à peine blessé par quelques écorchures, le commandant de la base poussa un soupir de soulagement, car tous ceux qui avaient assisté à l'accident étaient persuadés que j'étais mort. A tel point que, quelques secondes après le crash, quelqu'un alerta la presse, et en moins d'une demi-heure des reporters de tous les plus grands supports, journaux, radios et télévisions, étaient déjà sur les lieux, persuadés d'avoir la chance de " couvrir " le scoop de leur vie, la mort atroce de Soichiro Honda carbonisé aux commandes de son avion. Quelle déception pour eux ! Pas un seul bobo à raconter, photographier ou filmer ! Visiblement, ils avaient tous l'air désolés de s'être déplacés pour rien. Tellement écœuré par leur réaction, je répondis à l'interview d'une chaîne de télévision et je m'éclipsai grâce à l'ambulance des pompiers qui m'emmena en ville dans une station de location de voitures qui me proposa une limousine avec chauffeur pour poursuivre ma route.

« Le chauffeur étant des plus sympathiques, je décidai de lui demander quelle était la meilleure auberge de la région pour y faire un dîner de fête.

« Arrivés sur les lieux, j'appelai tous les amis que je connaissais de Nagoya à Suzuka pour qu'ils me rejoignent afin de fêter dignement la succession d'événements chanceux qui, à deux reprises, me sauvèrent la vie. Ce jour-là, la seule personne que j'avais oublié d'appeler, c'était Mme Honda. Ce n'est que le lendemain, très éprouvé par les abus de saké de la veille, que je composai le numéro de notre maison : c'est un ouragan qui décrocha !

« Depuis le journal télévisé de la veille au soir, tous nos amis appelaient pour avoir des nouvelles de Honda San qui avait fait l'ouverture du journal télévisé dans l'interview filmée auprès de l'épave en feu. Pendant ce temps, je fêtais ma bonne étoile dans une auberge de Nagoya sans penser à appeler ma femme ! En fait, durant cette soirée, j'ai rendu hommage à mon patron, Obinzuru. Il fait partie de ces saints protecteurs qui veillent sur les Japonais.

« Chacun choisit son patron en fonction de ses convictions ou des similitudes de comportement que l'on pense avoir avec lui. Par exemple, chez les chrétiens je connais beaucoup de pilotes automobiles qui portent la médaille de leur patron saint Christophe, patron des voyageurs et donc des conducteurs... Si j'ai choisi, quant à moi, Obinzuru, c'est parce que ce prêtre bouddhiste qui vivait à Tokyo adorait le saké. A tel point que, le jour de la mort de Bouddha, le seul à ne pas venir saluer sa dépouille fut Obinzuru. Il était allé noyer sa peine dans l'alcool de riz.

« Obinzuru avait des vertus de guérisseur et ne cessait de faire des dévotions, mais son alcoolisme ne fut pas accepté de ses pairs qui l'exclurent de leur confrérie. Ces gens-là ne pouvaient pas comprendre que le saké avait la vertu de lui apporter de la joie et de la consolation, et ce en accord avec les idées de Bouddha qui dit que le bonheur est le plus grand devoir de tous et qu'il faut tenter de l'atteindre par tous les moyens. Si

le saké peut aider à accéder au bonheur, pourquoi
pas ?

« Cela dit, je respecte le bouddhisme, surtout la
philosophie d'Obinzuru, mais sans pour cela être
croyant. Je suis athée, mais cela ne m'empêche pas
de respecter les lieux sacrés dans lesquels je me
rends parfois. En fait, dans la religion, je n'ai gardé
que le côté philosophique. Ayant reçu une éducation bouddhiste, mon enseignement a reposé sur
des principes liés à une certaine philosophie qui a
marqué ma vie. Je suis d'ailleurs relativement en
accord avec la plupart des préceptes philosophiques de la religion de Bouddha, mais je ne peux
accepter les notions de prolongement de l'âme
après la mort et de création du monde par un
quelconque dieu.

« Je ne crois qu'en une seule chose : l'homme.
C'est pour cette raison que tout au long de ma vie
j'ai essayé de le connaître sous ses bons et ses
mauvais côtés, et que parfois mon comportement
ou mes fréquentations nocturnes pouvaient étonner certains. C'est vrai aussi qu'au sein de la
compagnie qui porte mon nom certains ne tenaient
pas à me rendre trop médiatique, car ils pensaient
que cela ne pourrait pas être toujours très bon
pour l'image de marque de la compagnie. Avez-
vous remarqué, cher Yves Derisbourg, le monde
qu'il y avait lorsque nous avons filmé une partie de
l'interview dans le building Honda d'Aoyama ?

« Tout le service de presse et des relations
publiques de la compagnie assistait à notre entre-

vue pour " surveiller " le célèbre grand-père, Oyaji San. Ils ont une peur bleue de mes histoires drôles pas toujours du meilleur goût et de certains de mes commentaires au second degré. Je me rends compte que ces derniers temps les Japonais sont trop sérieux et qu'un peu d'humour les décontracterait. »

15.

LA MÉTHODE HONDA

Comme il nous l'a avoué, Soichiro Honda n'a de croyance qu'en une seule chose : l'homme.

Lorsqu'il créa la société Honda Motor Co Ltd avec Takéo Fujisawa, la première chose qu'ils définirent ensemble c'est une philosophie de la société que ses employés s'engagent à respecter par l'application de cinq points primordiaux.

1 — Toujours agir avec ambition et jeunesse.

2 — Respecter les théories saines, développer les idées nouvelles et utiliser son temps de travail de la manière la plus efficace.

3 — Prendre plaisir dans son travail et améliorer son ambiance de travail.

4 — Essayer constamment d'obtenir un rythme harmonieux de travail.

5 — Avoir toujours à l'esprit la valeur de la recherche et de l'effort.

Ces cinq points primordiaux de la philosphie Honda, aussi dénommés sous l'appellation anglaise « management policies », sont la base des actions nécessaires pour pouvoir faire avancer la

« corporate philosophy » de la compagnie qui en résumé tient en une phrase : « Dans un esprit international constant, nous sommes attachés à fournir à un prix raisonnable des produits de la plus haute efficacité, pour la satisfaction d'une clientèle universelle. »

Dans le chapitre suivant, Nobuhiko Kawamoto, actuel président de la compagnie, nous expliquera la méthode Honda dans les moindres détails.

Il est vrai que les Japonais aiment bien écrire noir sur blanc les grandes résolutions qu'ils s'engagent à prendre ; le préambule de la Constitution de 1946 en est un des meilleurs exemples : « Nous, peuple japonais, sommes résolus à préserver notre sécurité et notre existence et désirons occuper une place d'honneur dans une société internationale luttant pour le maintien de la paix. »

Pour ce qui est de sa propre entreprise, Soichiro Honda s'explique sur ses méthodes :

« Quand j'ai conçu ma première entreprise, nous n'étions que quelques-uns au début, mais déjà j'avais remarqué qu'il y avait des problèmes de communication entre nous.

« Imaginant l'ampleur que cela pouvait prendre quand nous deviendrions plus importants, je m'essayais à écrire un code intérieur et à définir une méthode que je pourrais instaurer dans l'avenir. Lorsque la Honda Motor fut créée en 1948, j'ai fait appliquer cette méthode dès le démarrage. »

Au Japon, les salariés d'une entreprise sont considérés un peu comme des associés rémunérés et sont dénommés par la même appellation d'employé sans spécification de titre.

Chez Honda, comme dans de nombreuses autres sociétés nipponnes, tous les employés des usines portent le même uniforme, de l'ouvrier au directeur de l'usine. Soichiro Honda aimait déambuler dans les locaux vêtu de son uniforme blanc de travail, la casquette vissée sur son crâne :

« De dos, quand j'auscultais de près une machine ou un robot, personne ne pouvait savoir si j'étais un simple ouvrier ou le président fondateur. Ainsi, les personnes qui se trouvaient dans mon entourage immédiat ne modifiaient pas leur comportement. Vous imaginez aisément qu'un ouvrier n'est pas vraiment naturel quand il a son patron à quelques centimètres de son poste de travail... »

Pourtant, chez Honda, c'est devenu banal que de croiser des directeurs ou le président dans les chaînes de montage. Le dialogue est un des secrets de la réussite, car la confrontation des idées est indispensable pour faire progresser l'entreprise.

« Ce qui étonne souvent les Occidentaux, c'est le fait qu'il y a peu de conflits et de grèves dans les entreprises japonaises. Travaillant tous dans l'intérêt de l'entreprise et des emplois qu'elle génère, il paraît plus important aux employés de discuter en amont dès que naît un problème que de jouer aux autruches, de laisser pourrir la situation pour arriver à une cassure. Dans

171

l'échelle de la hiérarchie, j'ai été un véritable ludion qui l'arpentait de haut en bas et de bas en haut sans arrêt.

« Lorsque je prenais des décisions avec un collège de directeurs, je m'empressais d'aller vérifier sur le terrain auprès des ouvriers si les idées que nous avions eu " en haut " étaient bonnes " en bas "... Si tel n'était pas le cas, je pouvais rectifier le tir très vite après observations sur le terrain. Pour moi, c'est de l'antitechnocratie. Vous le savez bien, car je vous l'ai dit à une époque où je repoussais à plus tard cette série d'entretiens que vous vouliez me consacrer ; je les refusais en arguant qu'il n'était pas opportun de faire un livre sur moi, car le nom de Honda n'était pas à mettre en avant comme étant celui de l'homme que je suis mais comme étant celui d'une entreprise représentée par les 90 500 personnes qui y travaillent aujourd'hui. C'est vrai que je ne me suis toujours considéré que comme un des employés de la société qui, lorsque j'en étais le président, ne comptait encore que 27 000 employés dont je n'étais que le plus âgé, le plus ancien avec Fujisawa et, à ce titre, les autres nous devaient le respect. »

Pour mieux comprendre la méthode Honda, il suffit de se rappeler l'un des articles essentiels de la charte maison : « Prendre plaisir dans son travail et rendre agréable son poste de travail. »

L'ennui et le stress ont toujours été les deux fléaux combattus par Soichiro Honda. D'après lui, un homme est au summum de son efficacité lorsqu'il s'amuse. Autant dire que l'ennui entraîne un tel relâchement que sa productivité est au plus bas. Fort de ce principe de base, Soichiro Honda ne cessera d'imaginer des techniques de toute sorte pour égayer le travail de ses « collègues ». Tout d'abord, des plannings très précis sont établis pour que les ouvriers ne fassent pas plus de trois mois consécutifs le même travail. Dès qu'ils ont assimilé le pourquoi de la tâche confiée et la manière de la réaliser en optimisant son efficacité, l'automatisme pourrait s'installer et l'ennui ne tarderait pas à faire son apparition. Alors, pour ne pas tomber dans le schéma chaplinien des *Temps modernes*, l'ouvrier change de poste de travail pour découvrir une nouvelle fonction sur la chaîne. La monotonie est pour Soichiro Honda l'ennemi à combattre :

« Si dès 1960 j'ai chargé le service de recherche et développement de travailler autant sur les produits à fabriquer que sur les robots qui devaient en assurer la fabrication, c'est dans un souci de décharger les hommes des tâches répétitives qui ne leur apportent rien d'autre que fatigue et ennui. Très vite cela entraîne une moins bonne attention et donc une baisse de la qualité de fabrication. »

L'évolution d'une jeune recrue est suivie selon un schéma très précis qui est déterminé par un planning informatique évoluant en fonction des aptitudes spécifiques révélées par l'employé sur les différents postes de travail qu'il occupe successive-ment.

Les emplois qu'il occupe demandent progressi-vement un savoir-faire plus précis.

Deux fois par semaine se tiennent des réunions qui permettent à tous les employés qui le désirent d'exposer les problèmes liés à leur travail ou à l'organisation générale de l'usine. Tous les pro-blèmes évoqués font l'objet d'une ouverture de dossier, et chacun peut tenter d'y apporter des solutions. Lorsque l'on a cru trouver l'idée miracle qui résoudrait le problème dans un souci d'amélio-ration des conditions de travail et de rendement, on rouvre le dossier lors d'une prochaine réunion et, après concertation, on propose d'appliquer la résolution sur la chaîne de travail.

Ayant eu l'occasion de visiter l'usine fabriquant la NSX, à Tochigi, je peux avouer que c'est là l'usine automobile la plus étonnante que j'ai eu l'occasion de voir.

La NSX est sans aucun doute la voiture fabri-quée à la chaîne la plus sophistiquée du monde : moteur 6 cylindres VTEC piloté par ordinateur, carrosserie en aluminium, etc.

La première chose qui surprend le visiteur trié sur le volet de Tochigi, c'est l'absence de bruit ! Ceux qui, comme moi, ont eu la chance de visiter des lieux aussi mythiques que Maranello, pour assister à la naissance d'une Ferrari, ou Newport-Pagnell pour voir l'assemblage des Aston Martin, seront surpris de l'ambiance qui règne à Tochigi.

LA MÉTHODE HONDA

Calme et propreté pourraient nous faire croire que nous sommes dans un atelier où l'on assemble des satellites pour la NASA plutôt que des bolides au tempérament de feu.

Il s'agit réellement d'une chaîne sur laquelle les opérations sont confiées tantôt aux hommes, tantôt à des robots. Plus qu'ailleurs, la main de l'homme est là pour vérifier et peaufiner un assemblage plutôt que pour visser, coller ou poser un accessoire.

Tout dans cette usine est fait pour que les hommes qui y travaillent aient le meilleur confort dans leurs tâches : niveaux sonores, hauteur des plans de travail, ergonomie, tout a été conçu dans un souci d'efficacité maximale.

Tochigi est l'usine modèle de Honda qui réunit dans son fonctionnement la quintessence des concepts originaux qui ont fait le succès de la méthode Honda. Cette perfection a aussi ses détracteurs qui soutiennent que la NSX, à l'image des voitures japonaises, est tellement parfaite qu'elle en devient « aseptisée »...

Mais où se cache le plaisir de conduire pour ces détracteurs qui osent prôner les charmes d'un monstre italien à la boîte de vitesses antédiluvienne et à la finition à peine supérieure à celle d'une Fiat 500 ? Comment parler de luxe sportif quand on est au volant d'un bolide très british incapable de faire fonctionner ses huit cylindres en même temps ?

La NSX apporte, quant à elle, des performances

de voiture de sport et la qualité de fabrication, de fiabilité et de finition d'une berline de prestige pour un prix des plus raisonnables.

Il faut reconnaître que ceux qui militent pour les « derniers mythes roulants » qui sont assemblés, voire bricolés, dans des ateliers aux équipements vétustes, sont la plupart du temps des journalistes qui s'expriment avec leur stylo plus facilement dans les colonnes de leurs journaux que sur leurs chéquiers pour s'offrir ces « monstres sacrés » et assumer leurs coûts d'entretien extraordinaires !

La quasi-perfection n'apporte donc pas que des louanges, sauf du côté des employés de la société qui, eux, sont fiers de la qualité des produits qu'ils fabriquent.

Lorsque je me suis rendu au centre d'essais de Honda R & D Co Ltd près de l'usine de Tochigi, ma visite étant non officielle, certains hangars n'avaient pas été fermés et je pus découvrir quelques Ferrari et autres Porsche 928 qui « traînaient » en bordure de l'anneau de vitesse et des circuits à thèmes. Honda a recréé, dans ce centre ultra-secret, des univers routiers correspondant aux divers continents : ainsi vous pouvez vous engager sur la piste US et vous vous retrouverez sur des routes dont le revêtement et les autres caractéristiques sont la reproduction exacte de ce que l'on trouve sur le réseau routier et autoroutier américain. Idem pour le réseau européen et ses petites routes de campagne, et les pistes africaines parsemées d'embûches.

Des conditions extrêmes sont également reproduites, depuis les pentes à très fort pourcentage jusqu'aux routes en tôle ondulée en passant par des itinéraires parfois boueux. Des machines spéciales permettent également de recréer des conditions atmosphériques particulières pour tester les véhicules, surtout au niveau du comportement en phase de freinage, sur des revêtements détrempés, verglacés ou enneigés.

Cet univers est ceinturé par un anneau de vitesse permettant de faire des essais routiers de vitesse et d'endurance avec les prototypes et aussi avec les matériels de la concurrence. Grâce à ces installations (d'autres existent à Suzuka pour les deux-roues), on peut faire évoluer les matériels en fonction de ce que ressentent les pilotes essayeurs. Contrairement à ce qu'avancent certains, les voitures japonaises ne naissent pas grâce à un programme informatique. Rien ne pourra remplacer l'homme pour juger les réactions d'un prototype. Surtout que chez Honda on se fait un point d'honneur à mettre en avant la sensation du bonheur de conduire. C'est ce qu'ont essayé de m'expliquer les deux responsables de la mise au point de la NSX lors d'un déjeuner sur le bord de la piste de Tochigi, lorsque je leur ai dit que j'avais entraperçu quelques bolides européens dans un hangar mal fermé...

« Nous avons la chance de pouvoir conduire toutes les voitures de sport existantes et même celles du passé... Notre tâche consiste à tenter de

177

faire que la NSX soit aujourd'hui la voiture de sport quasi idéale. »

Je leur demandai alors qu'elle était pour eux la recette idéale, en prenant pour exemple des modèles existants. Il y eut un silence accompagné de sourires gênés, puis l'un d'eux prit la parole :

« Pour moi, la voiture de sport idéale est un savant mélange de Ferrari F40 pour le côté "sensation" et de Porsche 928 S4 pour le côté "monstre apprivoisé capable de rouler au quotidien "... Je pense qu'aujourd'hui la NSX représente cette parfaite synthèse. »

Bien sûr, il n'y a pas que la NSX dont on s'occupe à Tochigi : tous les prototypes des Civic, Accord, Legend et autres City ou Today sont testés quotidiennement dans cette enceinte très protégée des regards indiscrets. Toutes les sources d'énergie du futur sont également testées par les ingénieurs de la marque, et j'ai pu croiser, durant mon séjour dans l'enceinte secrète, d'étranges engins à propulsion électrique et d'autres dont les sonorités faisaient davantage penser à un moteur à turbines qu'à un habituel quatre-temps... L'avenir nous révélera sans doute d'ici quelques années si ces prototypes seront fabriqués en série ou non.

La formation des chercheurs et des pilotes essayeurs se fait aussi grâce à des voyages d'études. Soichiro Honda m'explique pourquoi.

« Je vous avais dit que, lorsque nous avons voulu faire de la compétition en moto, nous avons fait appel à des pilotes européens parce qu'ils avaient déjà l'habitude de la vitesse au quotidien en roulant sur leurs routes sans limitation beaucoup plus vite qu'un Japonais. C'est pareil pour mes pilotes essayeurs. Le comportement d'un Japonais en ville ou sur route n'a rien à voir avec celui d'un Italien ou d'un Ivoirien !

« Comme Honda fabrique des engins qui doivent plaire au plus grand nombre, nos testeurs étudient les comportements des différents types de conducteurs pour tenter d'apporter des solutions qui plairont à chacun. C'est aussi pour cela qu'aujourd'hui, en plus de Tochigi, Honda a deux centres de recherche et développement à l'extérieur du Japon, l'un aux USA et l'autre en Europe, en Allemagne pour être précis.

« Cela permet de créer des modèles qui correspondent exactement aux attentes des consommateurs. En fait, avec un modèle de base, nous pouvons apporter d'infimes modifications au niveau des équipements et des couleurs intérieures et extérieures de manière à optimiser chaque produit par rapport à la nationalité de la clientèle. Seuls certains modèles sont étudiés pour des marchés spécifiques.

« Quand je vous parle de modèles spécifiques, je ne peux m'empêcher de penser aux engins totalement délirants que les employés de Honda présentent chaque année lors du " Honda Idea Contest " qui se déroule à Suzuka. C'est en 1970 qu'eut lieu le premier " Idea Contest " de la compagnie, et c'est aujourd'hui une tradition à laquelle tous les employés sont fidèles. Vous savez que, dans ma conception du travail, j'ai toujours voulu être à l'écoute de tous et en particulier des employés qui travaillent sur les chaînes de montage. Une autre de mes théories est que chacun doit travailler dans un esprit de création. J'ai donc suggéré que tous les ans les employés de la société pourraient mettre leurs talents créatifs en ébullition dans le but de créer des engins ludiques parfois délirants, utilisant des pièces provenant de nos usines ou fabriquées spécialement pour l'occasion.

« Les employés se réunissent par petits groupes de deux à six et proposent un dossier complet au comité d'organisation de l'épreuve, qui retient une cinquantaine de projets par an. Dès qu'un projet est validé, les groupes ont un budget qui leur permet de fabriquer leur prototype, et des heures de travail réservées à la fabrication et à sa mise au point. Tous les ans, les employés de l'entreprise se réunissent sur le circuit de Suzuka pour admirer et noter les réalisations de leurs collègues. C'est l'occasion de se rassembler pour une journée de fête, en famille, dans l'univers de Suzuka et de Circuitland, le parc d'attractions que j'ai fait construire dans l'enceinte du circuit de Suzuka.

« Tous les ans, je suis émerveillé des trouvailles imaginées par les employés de la marque : cela va d'engins ludiques qui n'ont d'autre raison d'être que le simple fait d'étonner, comme, par exemple, la voiture mille-pattes à moteur, à des créations plus inventives sur le plan technique, comme, par exemple, la bicyclette à roues sans rayons, les patins à roulettes motorisés ou la chaise à moteur qui d'ailleurs fut ensuite commercialisée.

« Ces engins, parfois très spectaculaires, font les choux gras de la presse internationale qui, par la même occasion, véhicule à travers le monde une excellente image de marque du groupe en faisant l'apologie des talents inventifs de ses employés.

« De plus, des employés de la société qui travaillaient sur l'élaboration d'un projet ont parfois mis en avant des solutions qui, par la suite, furent développées pour la fabrication de modèles commercialisés.

« Il faut toujours pousser ceux qui vous entourent à créer, à imaginer des solutions nouvelles ; cela crée une ambiance particulière dans l'entreprise, et les résultats ne peuvent être que positifs. »

Aujourd'hui, le « Honda Idea Contest » a plus de vingt ans, et certains pensent que, si le musée Honda devait prendre place dans un bâtiment digne de lui, une salle devrait être réservée aux créations les plus folles du « Honda Idea Contest ».

Soichiro Honda était plutôt d'accord avec cette suggestion quand je l'évoquais avec lui :

« C'est vrai que ce serait une bonne idée. Il n'y a pas très longtemps je suis allé à Suzuka et j'en ai profité pour me rendre au musée. C'est pour moi un endroit merveilleux, car toutes les machines qui me tiennent à cœur y sont réunies. Malheureusement, le hall où elles sont exposées est aujourd'hui trop petit et les engins sont entassés les uns sur les autres, ce qui n'est pas extraordinaire pour les mettre en valeur. Au hasard des allées, vous pouvez croiser des motoculteurs, des motos de compétition, des voitures de F1, des camionnettes et même une voiture qui n'est pas une Honda ! Une voiture de course que m'offrit le prince Rainier de Monaco qui est, lui, un grand collectionneur de voitures anciennes.

« Dans mes nombreux voyages à travers le monde, j'ai eu l'occasion de visiter des musées automobiles extraordinaires, tant par la qualité des modèles présentés que par l'architecture de ces lieux qui mettaient en valeur chaque modèle présenté. J'espère qu'un jour prochain Honda pourra créer un espace où tout un chacun découvrira l'histoire de la compagnie à travers ses créations. »

Espérons que les vœux de Honda San soient exaucés un jour, car il est vrai que l'actuel musée recèle des merveilles de l'histoire de l'automobile et de la moto présentées dans un incroyable capharnaüm qui n'a rien de prestigieux.

Pourquoi ne pas créer un showroom près de Tokyo, à Tochigi, par exemple, et d'autres « Honda Museum » à travers le monde, un à l'est de Paris près des parcs d'attractions Eurodisney et Astérix, et un autre aux USA, à Orlando, dans le même type de site propice au tourisme ? Voilà peut-être un sujet de réflexion pour ceux qui préparent le positionnement de l'image de marque de la société pour les années à venir...

Lorsque nous nous rencontrâmes pour la dernière fois avec Soichiro Honda, c'était à quelques jours d'un Grand Prix de Formule 1 de la saison 1991 que l'écurie Mc Laren-Honda et Ayrton Senna ne cessaient de survoler en remportant un nombre indécent de pole positions et de victoires. Je demandai alors à Soichiro Honda si la compétition, tant en moto qu'en Formule 1, était pour lui le moyen le plus intéressant pour faire connaître et évoluer les produits Honda ; sa réponse d'alors se confirma quelques mois plus tard :

« Je crois que dominer la compétition comme nous le faisons depuis plusieurs années est certainement très bon pour l'image que Honda veut donner à une certaine clientèle.

« Cela dit, je pense que dans l'avenir la compagnie devra compter sur d'autres pôles d'intérêt que la performance sportive pure. D'ailleurs, en sport mécanique, la performance sportive pure n'existe pas : la victoire est due, c'est vrai, en grande partie aux qualités du moteur fabriqué par Honda, mais, même si celui-ci est au top niveau, la montée sur le podium dépend, outre les qualités du pilote, d'éléments extérieurs que nous ne contrôlons pas, comme, par exemple, le châssis, les pneumatiques, le carburant ou les lubrifiants.

« Je pense qu'aujourd'hui la terre entière sait que les produits Honda sont reconnus comme compétitifs et fiables.

« La meilleure publicité est le bouche à oreille, et c'est vrai qu'un consommateur satisfait déclenche forcément des achats dans son entourage immédiat.

« C'est vrai que le Japon est parti de très bas pour arriver au niveau de qualité atteint dans les années soixante-dix.

« Je me souviens que, dès l'après-guerre, beaucoup de produits japonais exportés avaient la réputation d'être de la camelote.

« C'est en grande partie grâce aux conseils de M. J. Edwards Deming, un statisticien américain qui vint en Japon pour faire de nombreuses conférences sur le " contrôle de qualité ", que les industriels appliquèrent de nouvelles mesures qui permirent d'atteindre une extrême qualité sur les produits manufacturés.

« Même si, dès le début des années soixante, les produits japonais étaient de toute première qualité, la réputation était malheureusement établie. Il fallut des années pour convertir les consommateurs du monde entier.

« Le seul homme qui, dès 1952, savait que le Japon allait appliquer des méthodes de travail et de contrôle de qualité de premier plan, c'était justement ce fameux M. Deming. C'est lui qui, à cette époque, annonça qu'il ne serait pas étonné si dans les années à venir certains pays ordonnaient des mesures de protection contre les produits japonais... Quel visionnaire! Vous qui êtes français, vous avez vécu en première ligne cette aventure. Même si vous étiez enfant dans les années soixante, vous vous souvenez que certaines marques japonaises se sont installées très vite, trop vite, et vendirent des voitures tellement rapidement que les premières petites pannes arrivèrent avant même que les réseaux de concessionnaires ne soient organisés et que les bateaux contenant les pièces détachées n'arrivent dans les ports français. La colère des premiers acheteurs fut telle que les marques japonaises mirent plus de dix ans pour retrouver la confiance des acheteurs qui étaient persuadés que " voiture japonaise = peu de concessionnaires et pas de pièces détachées "!

« Pour en revenir à votre question concernant la poursuite de la compétition dans les années à venir, ce n'est pas à moi d'y répondre, car je ne suis absolument pas décisionnaire en ce qui concerne la politique et la stratégie actuelle de la marque. Ce serait plutôt à M. Kawamoto, l'actuel président, de vous répondre. Ceci étant dit, je pense que, dans un avenir proche, deux des chevaux de bataille que les constructeurs devraient mettre en avant sont, d'une part, l'environnement, et, d'autre part, la sécurité à travers des actions concernant la prévention.

« Chez Honda on peut dire que la compagnie a plusieurs longueurs d'avance avec les actions concrètes de la Fondation Honda et les recherches

antipollution pour ce qui est des problèmes d'environnement, et avec l'école de pilotage que nous
avons fondée sur le circuit de Suzuka dans les
années soixante-dix et qui fonctionne toujours avec
succès, le Safety Traffic Center, pour ce qui
concerne la prévention.

« Je crois beaucoup dans ces deux voies qui sont
positives pour l'homme. »

Plus récemment, le président Kawamoto devait
abonder dans le sens de Soichiro Honda en
annonçant le retrait de la marque des circuits de
Formule 1 en 1993 et en promettant des nouveautés
techniques dans le domaine de la sécurité et de
l'environnement... Oyaji San avait vraiment une
vision réaliste du futur. Un futur qu'il ne cessera
d'observer jusqu'à ce matin d'août 1991 où il quitta
notre monde alors qu'il était en train de faire un
banal check-up dans une clinique de Tokyo.

Comme il en avait l'habitude avant chaque
déplacement important, Honda San se rendait dans
une clinique durant deux jours pour se faire établir
un bilan de santé complet. En cet été 1991, il se
faisait une joie de partir peindre courant août sur le
mont Fuji, où il m'avait donné rendez-vous, avant
de partir pour une escapade avec sa femme en
Europe.

Durant la série d'examens, les médecins décelè-
rent une anomalie au niveau du foie. Cela faisait
longtemps que le foie de Soichiro Honda était
malade, et cette fois-ci rien ne put être fait pour
éviter l'irréparable.

LA MÉTHODE HONDA

Quelques semaines plus tard, Ayrton Senna et toute l'équipe Mc Laren-Honda remportaient le Grand Prix de Hongrie en portant un brassard noir en signe de deuil.

Les funérailles eurent lieu dans la plus stricte intimité et, pour respecter les vœux de Soichiro Honda, l'ensemble de la compagnie organisa deux journées « portes ouvertes » au mois de septembre 1991, et à cette occasion le showroom d'Aoyama fut aménagé de la même façon que le jour où je m'y étais rendu avec Soichiro Honda, pour que les visiteurs le découvrent comme il le vit pour la dernière fois.

16.

« L'APRÈS-HONDA »
ou le credo de Nobuhiko Kawamoto

Aujourd'hui, la Honda Motor Co Ltd est présidée par Nobuhiko Kawamoto, troisième président à succéder au tandem Honda-Fujisawa après MM. Kawashima et Kume. Comme ses deux prédécesseurs, Kawamoto a vécu l'aventure Honda de l'intérieur. Ingénieur motoriste de formation, Nobuhiko Kawamoto fut recruté en 1963 par Honda à sa sortie de l'université de Tohoku pour intégrer très rapidement le service compétition de la compagnie. Kawamoto mit ses talents au service de la Formule 2 puis de la Formule 1 en œuvrant sous les ordres du responsable de la compétition auto de Honda, Kume. Comme toujours chez Honda, les mécaniciens qui s'affairent dans les stands sur les motos et automobiles de courses sont tous, à quelques exceptions près, des ingénieurs de très haut niveau qui sont souvent les concepteurs des mécaniques dont ils s'occupent.

Nobuhiko Kawamoto a donc eu la chance de pouvoir voyager dans le monde entier, de circuit en circuit, dès le début de sa carrière chez Honda

« L'APRÈS-HONDA »

dans les années soixante. Il abandonna la mythique combinaison bleu ciel des mécaniciens de l'écurie de compétition pour se coiffer de la casquette verte et blanche des personnels travaillant en usine lorsqu'il dirigea le projet qui aboutit à la mise au point et à la mise en production de la première berline de moyenne cylindrée refroidie par air de la marque, la Honda 1300. Plus tard, Nobuhiko Kawamoto dirigea le Centre de recherche et développement de la marque à Tochigi, et c'est lui qui mena le projet NSX à la réussite que l'on connaît.

Il s'impliqua personnellement à un tel point dans la mise au point de cette voiture que le surnom amical de « Mister NSX » lui colle à la peau.

Âgé d'une cinquantaine d'années, l'actuel président de Honda est un manager qui sillonne la planète, paraissant se jouer des décalages horaires. Jamais un président de Honda n'a autant été sur le terrain que Nobuhiko Kawamoto, et j'ai eu la chance de pouvoir le rencontrer à son bureau de Tokyo, puis de le croiser à nouveau sur les circuits de Formule 1. Lors de l'une de ces rencontres, je lui demandai quel était l'apport le plus important laissé par Soichiro Honda à l'entreprise.

« M. Honda et Takéo Fujisawa ont doté la société d'une philosophie qui est l'un de ses plus précieux atouts. Aujourd'hui encore, cette philosophie est le fondement de tous nos efforts et continuera à l'être dans l'avenir. »

Y.D. : Comment aujourd'hui cette philosophie peut-elle être appliquée à l'échelle mondiale ?

N.K. : C'est vrai que, aujourd'hui, la compagnie s'étend sur les cinq continents, et il est nécessaire que la philosophie du groupe soit comprise, respectée, partagée et mise en œuvre par l'ensemble des collaborateurs de Honda dans le monde entier. C'est cette philosophie qui nous unit.

Y.D. : Certaines sociétés au sein du groupe Honda ont parfois choisi d'adopter leurs propres chartes, qu'en pensez-vous ?

N.K. : Si les sociétés ont choisi d'adopter leurs propres chartes et de définir ainsi pour elles-mêmes une philosophie et un but qui leur appartiennent en propre, c'est toujours en accord total avec la philosophie de Honda.

Y.D. : Comment, dans la vie de tous les jours, cette philosophie se ressent-elle au sein de l'entreprise ?

N.K. : Cette philosophie n'aurait pas de sens si elle devait rester lettre morte. Les mots en eux-mêmes n'ont pas d'importance ; ce qui importe, c'est que le sens dont ils sont porteurs soit pleinement compris et traduit en actes, de sorte que cette philosophie prenne racine pour se transformer peu à peu en culture d'entreprise.

Chez Honda nous pensons que ce passage qui conduit de la pensée à l'action conduira aussi à la croissance.

Y.D. : De toutes les formules signées Soichiro Honda qui parsèment ses écrits philosophiques, quelle est celle qui vous paraît la plus importante ?

190

N.K. : Sans aucun doute celle qui justement justifie en quelques mots cette philosophie du groupe : « L'action sans la philosophie est une arme meurtrière : la philosophie sans action n'a pas de valeur. »

Y.D. : Qui véhicule aujourd'hui cette philosophie à travers les sociétés du groupe ?

N.K. : C'est à un certain nombre de collaborateurs de Honda de différents pays, et en particulier ceux qui représentent les marchés les plus importants du groupe, que revient la charge de l'explication de cette philosophie. Cette participation apportée par différents collaborateurs de différents pays reflète fidèlement le point de vue international de Honda.

Y.D. : Est-ce que vous pourriez nous expliquer concrètement les bases de ce que vous appelez « le point de vue international de Honda » ?

N.K. : Pour comprendre cela je crois qu'il vous faut découvrir les trois axes principaux et complémentaires de ce que j'appellerais le « système Honda ». Tout d'abord, bien sûr, la philosophie de Honda, ensuite le principe de la société et enfin les politiques de direction qui pourraient également porter le nom de directives de fonctionnement, car elles sont susceptibles d'être appliquées par tous les collaborateurs de la société.

Quelques semaines plus tard je recevais la traduction française de la « bible » HONDA. En fait, au cœur de la philosophie de Honda on doit

placer le principe de la société qui repose sur deux convictions fondamentales :
— Ningen Soncho (le respect de la personne) ;
— les trois joies.

Ningen Soncho sont les mots japonais qui correspondent à l'expression « le respect de la personne ». Soncho se traduit par « respect » et Ningen par « être humain ». La qualité de la relation que sut instaurer M. Honda avec chacun des collaborateurs du groupe nous conduit à penser que « respect de la personne » est la traduction la plus exacte de « Ningen Soncho », en gardant toutefois à l'esprit que cette formule doit être replacée et comprise dans le contexte des préoccupations et du respect qui furent ceux de Soichiro Honda à l'égard des êtres humains et de la société.

La philosophie de Honda est résumée par le schéma ci-dessous qui regroupe ses différents éléments : le principe de la société, les politiques de la direction et le « style Honda », fondés sur les convictions fondamentales précitées que sont le respect de la personne et les trois joies.

Style Honda
Politiques de la direction
Principe de la société
Les trois joies
Le respect de la personne

Comme le montre le schéma, la base du principe est « le respect de la personne ». Ce respect de la personne naît de la croyance fondamentale en l'homme et dans le caractère unique de chaque être humain. Les êtres humains naissent avec la capacité de penser, de réfléchir et de créer. Dans notre société, nous devons nous efforcer d'épanouir et de promouvoir ces dons qui font notre spécificité et notre singularité.

La société Honda est constituée par des personnes qui œuvrent ensemble avec un but commun. Chaque collaborateur apporte à notre société sa contribution, et la somme de ces contributions est à l'origine de tous nos succès, quels qu'ils soient. Chacun de nos collaborateurs est un élément important qui doit être respecté et avoir l'occasion de réaliser tout son potentiel. Chez Honda on doit pouvoir compter sur chacun pour assurer le succès de la société, et les efforts et contributions de chacun doivent être pleinement reconnus et honorés.

Pour Honda, le principe philosophique du Respect de la personne recouvre la trilogie suivante :

● L'initiative :
Les collaborateurs de la société ne doivent pas s'en tenir aux idées préconçues, mais, au contraire, ils doivent faire appel à leur créativité pour penser et agir sur leur propre initiative et selon leur propre jugement, tout en sachant qu'ils doivent prendre la responsabilité de leurs actions et de leurs conséquences.

● L'égalité des chances :
L'égalité implique que les différences individuelles
soient réciproquement reconnues et acceptées, et
que chacun soit traité ou traite autrui équitable-
ment. Notre société s'est engagée à respecter ce
principe et à offrir les mêmes chances égales à
chacun. La race, le sexe, l'âge, la religion, l'origine
nationale, l'éducation reçue, le statut économique
ou social n'infléchiront pas les chances données à
chacun.

● La confiance :
La relation qui s'établit entre les collaborateurs de
la société doit être fondée sur la confiance réciproque. La confiance naît lorsque l'on se reconnaît
mutuellement comme des personnes, en aidant les
autres lorsqu'ils en ont besoin et en sachant nous-
mêmes accepter l'aide d'autrui lorsque nous ne
nous sentons pas à la hauteur de notre tâche en
partageant nos savoirs et en faisant un effort
sincère pour assumer nos responsabilités.

Le respect de l'individu définit également la
relation qui nous lie à ceux pour qui et avec qui
nous travaillons :

● Nos clients :
Tout ce que nous faisons doit surpasser ce que nos
clients attendent de nous. La satisfaction de nos
clients est notre toute première priorité.

● Nos partenaires commerciaux :
Les actionnaires de la société, ses distributeurs, ses fournisseurs et tous ceux dont les activités sont liées à celles de Honda doivent retirer quelque chose de positif de cette expérience.
Les remarques qui ont été faites précédemment à propos de l'initiative, de l'égalité et de la confiance s'appliquent à nos distributeurs et à nos fournisseurs tout autant qu'à nos collaborateurs directs.

● La collectivité et ses membres :
Nous devons rester sensibles aux besoins des collectivités dans lesquelles s'inscrivent nos activités.

Dès lors que nous avons foi en la valeur de chaque personne, nous aspirons au partage avec tous les autres. C'est pourquoi, chez Honda, nous sommes convaincus que chacun de ceux qui travaillent au sein de notre société ou qui entrent en relation avec celle-ci, directement ou par l'entremise de nos produits, doit ressentir de la joie à la faveur de cette expérience. C'est le sentiment qui est exprimé par ce que nous appelons « les trois joies ». En fait, c'est Soichiro Honda qui, en 1951, a défini les trois joies comme étant la joie de Produire, la joie de Vendre et la joie d'Acheter. En 1961, Takéo Fujisawa en a changé l'ordre tel qu'énoncé actuellement. Cette règle des trois joies annonce clairement que nous avons pour but de donner des joies à ceux qui achètent nos produits, à ceux qui les vendent, à ceux qui les fabriquent. Dans cette perspective, nous plaçons le grand public, les autres, au premier rang de nos préoccupations.

Si nous observons de plus près la règle des trois joies, nous plaçons en premier lieu « la Joie d'Acheter ». Nous voulons qu'elle soit celle de tous les consommateurs qui achètent un produit Honda. Cette joie va au-delà de la simple satisfaction du client. Nous la définirions plutôt comme une progression comprenant les quatre étapes qui génèrent la joie d'acheter.

Le client doit d'abord pouvoir comprendre quel est le produit et quel est son concept fondamental.

Ensuite le client doit croire aux qualités du produit afin de prendre la décision de l'acheter.

Troisièmement, le client doit être totalement satisfait par le produit.

Enfin, pour que la joie soit vraiment complète, il faut que le produit ou le service acheté par le client surpasse les espoirs qu'il a fondés sur cet achat.

Ensuite, il y a « la Joie de Vendre » et, pour y parvenir, ce qui importe, ce n'est pas seulement la rencontre entre nos produits et les acheteurs.

La vente de nos produits est aussi et surtout l'occasion de nouer une relation humaine avec le client. Ceux qui vendent nos produits et assurent leur entretien cherchent à répondre en toute sincérité aux demandes, aux besoins et aux souhaits de nos clients. Lorsque la qualité de ces produits est excellente, nos partenaires sont fiers de représenter Honda auprès de ses clients, et lorsque notre réseau de vente et de service, et en particulier nos revendeurs et nos distributeurs, sont animés par cette fierté et par l'intérêt d'une relation privilégiée avec nos clients, ils éprouvent la véritable « Joie de Vendre ».

Enfin il y a la « Joie de Produire » qui, chez Honda, comprend la fabrication, les techniques de production, les services de recherche et développement, et concerne aussi les fournisseurs de la société.

En fabriquant des produits de qualité qui surpassent ce que nos distributeurs et nos clients attendent d'eux, nous éprouvons la fierté du travail bien fait.

Après avoir été les instigateurs de ces trois joies, nous devons également créer ce sentiment dans la collectivité tout entière. Nous appartenons à un secteur dont les activités ont de nombreuses conséquences sur la société. Certaines sont positives : contribuer au déplacement des individus, posséder un produit ingénieux et de valeur, offrir de nombreux emplois.

D'autres sont négatives, comme l'impact de l'industrie sur l'environnement. Les problèmes d'ordre social, tels que la sécurité et la protection de l'environnement, comptent parmi les toutes premières priorités pour notre communauté.

Afin de créer la joie et de mériter ainsi la confiance de tous, nous voulons fabriquer les produits et rendre les services dont nous avons

tous besoin tout en réduisant les effets négatifs
ou indésirables que nos produits, nos services ou
d'autres activités sont susceptibles d'avoir pour
la collectivité.

Au cours de toutes nos activités professionnelles, nous devons chercher à comprendre le
sens et l'importance des Trois Joies.

La confiance que nous accordera la société
dans laquelle nous travaillons en fait partie. Si
nous avons ces notions constamment présentes à
l'esprit, et si nous cherchons à répondre aux
besoins présents et futurs de nos contemporains,
nous sommes convaincus que la place qu'occupe
Honda au sein de la société sera reconnue et
pleinement appréciée.

Après avoir ainsi mieux approfondi les bases
de la philosophie de la compagnie, voyons maintenant en détail le « principe de la société
Honda ».

Fondé sur les convictions fondamentales que
sont le Respect de la Personne et les Trois Joies,
le principe de la société Honda a été énoncé
pour la première fois en 1956. C'est en 1962 que
ce principe a été traduit du japonais de la
manière suivante :

« Dans un esprit international constant, nous
sommes attachés à fournir, à un prix raisonnable, des produits de la plus haute efficacité, pour
la satisfaction d'une clientèle universelle. »

Il est indispensable que tous les collaborateurs
de Honda connaissent le principe Honda, dès

lors qu'il s'agira pour eux de comprendre quelle est la raison d'être de la société.

Ce principe représente la finalité vers laquelle tend l'ensemble du groupe Honda ; tous les collaborateurs de la marque doivent le partager, même s'il arrive parfois qu'il ne corresponde pas exactement aux buts particuliers qu'ont pu se fixer l'une ou l'autre des sociétés appartenant au groupe.

Il doit y avoir suprématie du principe et, pour mieux le comprendre, étudions-le dans le détail :

« *Dans un esprit international constant...* »
Honda vend ses produits sur toute la surface de la planète, car notre marché s'étend de l'Amérique du Nord à l'Europe, au Japon, à l'Asie et à d'autres parties du monde.

Sur un marché mondial, les consommateurs ont, en matière de produits et de services, des aspirations qui diffèrent en fonction de la région du globe où ils vivent. Nous devons chercher à occuper la première place dans le domaine de la satisfaction des clients sur tous nos marchés, en fournissant des produits ou des services qui surpassent ce que nos clients attendent.

Nous ne devons pas faire œuvre de complaisance vis-à-vis de nous-mêmes en nous satisfaisant de succès remportés ici ou là par les produits Honda. Nous devons chercher à savoir avec exactitude quelle est la place que nous occupons à l'échelle mondiale et comment nos produits et nos services sont évalués sur les différents marchés dans le monde entier.

En outre, cette phrase rappelle à chacun des employés de la société qu'il convient de se préoccuper régulièrement de la qualité et des normes qui régissent notre propre travail non pas dans la perspective étroite de notre propre service, de notre champ d'activités ou de notre situation géographique, mais le plus largement possible, en donnant à nos comparaisons une envergure mondiale.

« Nous sommes attachés... »
Ce sont les collaborateurs de la société, rassemblés autour de la poursuite d'un but commun, qui font le succès de Honda. L'utilisation du terme « nous » met en relief l'importance de chacun des collaborateurs qui composent la société ; chez Honda, chaque collaborateur a quelque chose à apporter aux activités de la société.

Ce terme « nous » évoque aussi un ensemble de personnes qui œuvrent ensemble à la réalisation d'un but commun et qui, simultanément, cherchent à avancer dans la compréhension du travail qu'ils font au jour le jour. Ce terme implique bien entendu qu'une totale confiance existe entre les collaborateurs.

« A fournir à un prix raisonnable des produits de la plus haute efficacité... »
Les produits Honda ont donné la preuve de leur

avance technologique dans le domaine des performances comme dans ceux de la juste consommation de carburant, de la structure du châssis,
des contrôles de protection de l'environnement et
de l'ergonomie.

Nous avons tenté de faire l'utilisation la plus
efficace des matières premières.

Sur le plan technologique, la conception de
notre système de production, et notamment des
équipements utilisés, obéit aux mêmes règles
méthodologiques que celles de nos produits.

Au prix de constants efforts, nous nous
sommes engagés à conserver et à promouvoir
notre avance technologique dans tout ce que
nous faisons : l'expression « produits de la plus
haute efficacité » reflète cette résolution, elle
s'applique également au marketing, à la distribution, aux ventes et aux services de nos produits.
Nous devons aussi proposer nos produits à des
prix raisonnables, nous devons rechercher la plus
haute efficacité dans le cadre de la fabrication,
de la commercialisation, de la distribution et des
services de nos produits comme dans celui de
tous les autres aspects des opérations de notre
société. En agissant de la sorte, nous serons en
mesure de proposer nos produits à des prix
raisonnables. Ces deux objectifs — des produits
de la plus haute efficacité et des prix raisonnables — sont en règle générale contradictoires.
Malgré cela, il est impératif de les réaliser tous
deux. Seules les découvertes qui permettent d'at-

teindre ces deux objectifs simultanément sont de vrais progrès.

« *Pour la satisfaction d'une clientèle universelle.* »
Notre avenir n'est assuré que par l'existence d'une clientèle qui achètera nos produits. En conséquence, chacun de nous, quels que soient sa fonction et son rang, doit faire de son mieux pour satisfaire nos clients et même devancer toutes leurs attentes dans le monde entier.

« La satisfaction de nos clients » va au-delà de la simple satisfaction de besoins et de désirs spécifiques.

Nous devons satisfaire ces besoins tout en anticipant les changements sociaux et culturels ainsi que l'évolution des styles de vie.

Nous devons en permanence être en avance sur notre temps et avoir ainsi des antennes très sensibles pour nous permettre de saisir quels seront demain les désirs et les besoins de nos clients, avant même que ceux-ci aient pris une forme concrète.

Après la philosophie et le principe de la société, vous saurez tout sur la méthode Honda en découvrant les politiques de direction.

Honda a fixé cinq politiques de direction qui doivent guider ses collaborateurs dans l'exercice de leurs responsabilités quotidiennes. Elles doivent aider tous les membres du groupe à mettre en pratique la philosophie et le principe de la société partagés par tous.

« L'APRÈS-HONDA »

De même, ceux qui occupent des postes de direction auront la responsabilité non seulement de mettre en œuvre ces politiques à titre personnel, mais de créer également un climat de travail dans lequel leurs subordonnés pourront aussi observer ces lignes de conduite de gestion et les faire suivre d'effets.

Ces cinq politiques seront les suivantes :

— Agissez toujours avec ambition et jeunesse.

— Respectez les théories saines, développez les idées nouvelles et faites le meilleur usage possible du temps.

— Appréciez votre travail et améliorez toujours votre ambiance de travail.

— Essayez constamment d'obtenir un rythme harmonieux de travail.

— N'oubliez jamais la valeur de la recherche et de l'effort.

Reprenons chacune de ces politiques de direction les unes après les autres.

Tout d'abord « Agissez toujours avec ambition et jeunesse ».

Honda est connue pour être une société dont les produits répondent aux rêves d'un grand nombre de consommateurs. Nous voulons continuer d'être une société animée par un rêve, une société qui reste jeune d'esprit.

Les rêves — ou les ambitions — sont la force mobilisatrice et positive qui nous motive. Ces rêves peuvent nous motiver notre vie durant. Ils nous incitent à aller au-devant de nouveaux défis, à ne pas avoir peur de l'échec.

Pour que nos rêves deviennent réalité, nous persévérons jusqu'à ce que nous ayons triomphé de tous les obstacles. Dans cette quête, nous nous lançons des défis à nous-même comme à ceux qui nous entourent. Lorsque nos rêves sont enfin devenus réalité, nous éprouvons un réel sentiment d'accomplissement.

La jeunesse n'a que peu de rapport avec le nombre des années. La jeunesse est avant tout un état d'esprit.

Être jeune, c'est s'engager sans réserve à vivre un idéal. C'est la passion toujours renouvelée d'apprendre avec la plus grande ouverture d'esprit. L'expérience ne saurait la tempérer. Elle ne s'embourbe pas dans l'habitude, pas plus qu'elle ne s'enlise dans le conservatisme. C'est une quête pour être le premier, pour être le meilleur, qui nous fait renoncer aux évidences et prendre des risques. La jeunesse est un état d'esprit qui nous conduit à nous dépasser.

Honda veut rester une société qui a une longueur d'avance, qui infléchit les tendances qui marqueront l'époque. Pour garder l'initiative, nous devons agir avant nos concurrents et nous mesurer à des défis audacieux, ce qui ne va pas toujours sans risques. Chacun de nos collaborateurs doit aborder son travail en faisant preuve d'ambition et de jeunesse d'esprit, ou en étant animé par le désir de se dépasser.

Voyons maintenant ce que nous entendons par « Respectez les théories saines, développez les

idées nouvelles et faites le meilleur usage possible
du temps ».

Pour que Honda reste toujours Honda, nous
nous efforçons de garder une longueur d'avance ;
pour y parvenir, nous devons concevoir des idées
nouvelles qui s'appuient sur une théorie saine et
examiner quels sont les moyens les plus efficaces
dont nous disposons pour mener à bien nos
entreprises.

Tout ce que nous faisons doit reposer sur une
théorie saine. Il nous arrive parfois d'oublier que la
façon dont nous avons toujours fait quelque chose
se fonde sur une théorie. Nous ne devons donc pas
confondre les façons de faire que nous avons
acquises et acceptées avec la théorie sous-jacente.

Regardez ce que cache l'habitude afin de comprendre la théorie sur laquelle celle-ci se fonde.
Ensuite, n'ayez pas peur de remettre en question
une habitude, de la changer au profit d'une idée
neuve, dès lors que vous vous êtes assuré auparavant que l'idée neuve repose sur une théorie saine.
Sachons aussi être assez souple pour accepter une
idée neuve. Idées neuves, souplesse, créativité et
innovation permettent à notre société d'avoir une
longueur d'avance.

Le temps est une ressource qui n'est pas inépui-
sable. Il convient d'en faire le meilleur usage. C'est
un concept sain, qui nous permet d'aborder notre
travail avec efficacité et productivité. Cette
approche se fonde sur trois éléments clés : la
simplicité, la concentration et la rapidité.

La simplicité :
En allant à l'essentiel dans ce que nous devons
faire : en privilégiant les points cruciaux.

La concentration :
En concentrant nos ressources et notre réflexion là
où elles sont les plus nécessaires pour parvenir aux
objectifs essentiels.

La rapidité :
Une mise en œuvre rapide.

Un autre élément entre dans la notion d'utilisation efficace du temps. C'est la ponctualité. Il faut
être prêt au moment voulu.

Un horaire préside à toute chose. Ainsi, dans la
course automobile, si un pilote et son bolide
arrivent en retard pour prendre le départ, ne
serait-ce que d'une courte minute, l'équipe est
disqualifiée et les efforts de tous ont été déployés en
vain.

A chaque part de nos activités correspond un
horaire. Afin de faire le meilleur usage de notre
propre temps et de celui d'autrui, nous devons
veiller à être prêts à temps et à respecter ponctuel-
lement nos engagements, les horaires et les programmes.

Pour expliquer « Appréciez votre travail et
améliorez toujours votre ambiance de travail », je
pense que le travail accompli par chacun est

quelque chose d'infiniment précieux, et l'on doit savoir lui reconnaître toute sa valeur. Il doit aussi procurer un sentiment de joie et de fierté.

Nous devons créer dans la société un climat dans lequel il sera possible à chaque collaborateur de tirer de la fierté de son travail et d'éprouver un sentiment d'accomplissement.

Chaque collaborateur ressent de la joie et de la fierté devant son travail lorsqu'il possède la faculté de se dépasser et qu'il fait appel dans la plus large mesure possible à sa créativité et à son intelligence.

Chez Honda, ce sont les collaborateurs qui sont les mieux informés sur les opérations au jour le jour et qui comprennent le mieux la réalité qui est celle de leur lieu de travail.

Ces collaborateurs sont donc les mieux placés pour savoir quelles sont les améliorations que demande leur cadre de travail et pour les apporter eux-mêmes.

Les collaborateurs qui occupent les postes de supervision doivent favoriser les efforts qui tendent vers ces progrès, en encourageant la création de Cercles NH (New Honda), en suscitant l'apport de suggestions ainsi que d'autres initiatives de ce type.

Lorsque ces initiatives se seront multipliées, leur effet cumulé contribuera à une meilleure qualité du climat professionnel, à la satisfaction des collaborateurs et, pour la société, à une compétitivité accrue.

Fondamentalement, la méthode de travail de Honda repose sur le travail en équipe. Chaque collaborateur appartient à une équipe et il lui faut comprendre quels sont les objectifs de son équipe aussi bien que le rôle qu'il ou elle joue personnellement en son sein. C'est en qualité de membre d'une équipe que l'on remplira sa tâche.

Chaque membre de l'équipe a l'occasion et l'obligation d'apporter sa propre contribution.

Lorsque l'on travaille en équipe, il arrive que des problèmes surgissent dans certaines situations, en particulier lorsque, parmi les membres de l'équipe, aucun n'a été précisément chargé de la responsabilité de la tâche — on peut parler à ce propos de « zone d'ombre ».

Si les membres de l'équipe estiment que cette situation n'entre pas dans le champ de leurs responsabilités, cette situation peut rester sans solution et engendrer ainsi de graves difficultés.

Le cas échéant, ces difficultés prendront des proportions telles qu'elles seront manifestes non seulement au sein de notre société, mais à l'extérieur également, où elles apparaîtront à nos clients et à ceux avec qui nous travaillons.

Lorsqu'ils sont confrontés à une « zone d'ombre », il est important que les membres de l'équipe sachent reprendre eux-mêmes l'initiative et rechercher ensemble une solution à cette situation.

« L'APRÈS-HONDA »

Si, chaque jour, nous avons tous chez Honda présente à l'esprit la notion de travail en équipe, notre tâche en sera d'autant plus agréable. Il est également nécessaire que s'établisse une bonne communication entre les membres de l'équipe, pour que celle-ci puisse travailler en bonne harmonie et avec efficacité.

Le débat, les appréciations sur ce qui a été réalisé et, d'une manière générale, le partage des informations, doivent être privilégiés et s'instaurer entre les différentes équipes comme avec et entre les services, les divisions et les sociétés, et au sein de chacune de ces unités.

La communication à deux sens à tous les niveaux et entre eux est essentielle.

Dans le cadre de nos activités professionnelles, il est impératif que les dirigeants de l'entreprise sachent créer l'atmosphère dans laquelle leurs collaborateurs aimeront travailler.

On y parviendra par :

— l'aménagement d'un cadre où règnent l'ordre et la sécurité,
— la bonne organisation du travail et sa répartition équitable,
— l'assurance que l'occasion est donnée à chacun d'apporter sa propre contribution,
— la volonté de communication et d'écoute envers chacun,
— le respect des idées des autres (ouverture d'esprit),
— une attitude favorisant la concertation ou le travail en équipe,

— un sens partagé de la finalité du travail,
— une commune fierté des réalisations.

En ce qui concerne « Essayez constamment d'obtenir un rythme harmonieux de travail », nous mettons ici l'accent sur l'harmonie du flux de travail, qui permettra de promouvoir un fonctionnement efficace et efficient de la société.

L'organisation du flux de travail devra être naturelle, cohérente et facilement compréhensible, les surcharges ou les irrégularités devront être réajustées ou supprimées.

La plupart du temps, chaque collaborateur peut aisément comprendre comment son travail s'inscrit dans celui de son équipe. Mais il doit aussi considérer son travail comme une partie d'un ensemble plus grand, qui est le service ou la division.

Pour illustrer ce propos par une image, on peut comparer le flux de travail au courant d'une rivière. Comme une rivière, il a un « aval », représenté par la personne ou le service qui reçoit le résultat du travail de ceux qui opèrent en « amont ».

Les résultats du travail effectué par le service ou la personne situés en « aval » dépendront largement de ceux qui auront été obtenus en « amont ».

Afin d'assurer un flux de travail régulier et harmonieux, il faut accorder à la personne ou au service situé en aval autant d'importance que s'il s'agissait d'un client.

« L'APRÈS-HONDA »

Restez à l'écoute des besoins ou des avis de ce « client » et efforcez-vous de les intégrer dans votre travail sous la forme d'améliorations. Ce faisant, la confiance réciproque s'instaurera. Elle favorisera puis permettra d'atteindre à la régularité et à l'harmonie du flux de travail recherchées.

Lorsque l'harmonie préside au flux de travail, nous la percevons comme une sorte de rythme et de mouvement d'ensemble.

Enfin, pour évoquer « N'oubliez jamais la valeur de la recherche et de l'effort », nous devons toujours chercher à faire mieux, à ne jamais nous satisfaire de ce qui est acquis. Si nous nous contentons de la situation présente, nous arrêtons de progresser et nous amorçons notre déclin.

Il importe surtout de se fixer un objectif, de ne pas avoir peur de l'échec, puis de se mettre résolument à la tâche.

Cette démarche se transformera en source d'énergie et en force intérieure, qui bénéficieront à notre société.

Nos efforts et nos recherches ont toujours de la valeur. Pourtant, il arrive parfois qu'ils n'aboutissent pas et restent sans succès ni résultats. Nous nous demandons alors si cela valait la peine d'entreprendre tous ces efforts. Mais, ensuite, nous nous apercevons que nous pouvons tirer notre satisfaction de l'effort en soi. De cette expérience nous finissons par tirer des connaissances utiles pour notre avenir.

Le « Principe des Trois Réalités » est une notion qu'il convient de retenir, car elle compte parmi les plus importantes lorsque l'on mène des recherches ou que l'on résout des problèmes. Ce principe nous enseigne à :

— Être présent au bon endroit.

— Connaître la réalité de la situation en s'informant, en établissant le contact avec le réel, qu'il soit technique ou humain.

— Être réaliste au moment d'exploiter les informations que l'on aura tirées des observations recueillies au bon endroit, et de la connaissance de la situation réelle.

— On doit s'efforcer d'être réaliste pour en faire l'évaluation et former son jugement. Au cours de cette expérience directe, l'on acquerra les connaissances qui permettront de résoudre le problème.

Honda est une société qui est toujours allée au-devant des défis et qui prend des risques.

C'est en cherchant en permanence à nous mesurer à ceux-ci que nous sommes parvenus au succès.

Nous avons aussi connu quelques échecs, bien sûr, mais ils ont été riches d'enseignements, et nous avons bâti notre succès sur des recherches et des efforts constants.

17.

TECHNIQUE ET CRÉATIVITÉ

Si le processus de mondialisation engagé par Honda a pu se mettre en place avec le succès que l'on connaît, c'est en grande partie grâce à la formidable image de marque du groupe. Cette image de marque est due principalement aux succès sportifs et technologiques de Honda.

Dès le départ, Soichiro Honda et Takéo Fujisawa ont compris que la compétition allait leur apporter deux des clefs du succès : le moyen de se comparer et d'évoluer parmi la concurrence avec des matériaux au plus haut niveau et, d'autre part, d'importantes retombées sur le plan de la notoriété.

La compétition a toujours été un formidable banc d'essais pour tester des solutions techniques nouvelles dans des conditions extrêmes et surveiller par la même occasion les domaines de recherche de ses concurrents.

Lorsque Honda a débuté la compétition motocycliste en 1954, la société ne commercialisait ses produits qu'au Japon et aucun des deux-roues de sa gamme n'avait un rapport direct avec les motos de course qui évoluaient sur les circuits. Par contre, le moindre mécano présent dans l'écurie de course était un ingénieur du R & D qui, sur le terrain, avait sur ses épaules une responsabilité technique très précise. L'un était ingénieur chargé des problèmes de carburation, l'autre des embrayages ou des suspensions.

La plupart de ces ingénieurs travaillaient en binôme avec un de leurs collègues restés sur place au Japon dans les locaux du Honda Racing Team. A l'issue de chaque séance d'essais ou de chaque course, tous les ingénieurs-mécaniciens faisaient un débriefing technique précis et en référaient au Japon pour analyse. Les motos de course étaient fabriquées à la main et chacune des pièces, du piston au pot d'échappement en passant par un ressort de suspension, était soigneusement numérotée. En cas de défaillance d'une pièce, celle-ci pouvait être restituée à celui qui l'avait usinée pour qu'il tente d'apporter une explication au problème rencontré. Cette ambiance de compétition, ce travail dans l'urgence, cet esprit d'équipe, sont un passage obligé pour les ingénieurs du R & D et aussi pour les futurs présidents de la société : Kawashima, Kume et Kawamoto ont tous arboré, dans les années 60, la fameuse combinaison bleu et rouge des mécaniciens du service compétition de la marque.

L'organisation de l'équipe Honda a très vite

donné des résultats spectaculaires sur le plan de l'évolution technique de la marque. Très rapidement, les motos de course Honda ont adopté des solutions techniques originales qui ont permis au Honda Racing Team de surclasser très vite l'ensemble de ses concurrents et de remporter un nombre de victoires jamais vu jusqu'alors dans toutes les catégories du championnat du monde motocycliste.

La domination de Honda dans les années 60 fut à la limite de l'arrogance, mais apporta un « know how » extraordinaire aux ingénieurs de la marque : les moteurs multicylindres quatre temps à simple ou double arbre à came en tête qui firent le succès de la marque dans les années 70 doivent tout à la compétition. L'expérience de la course apporta beaucoup à Honda, mais, indirectement, aussi à ses sous-traitants, la plupart des filiales de la société, qu'ils soient fabricants de lubrifiants, de systèmes de freinage ou de compteurs de vitesse.

Ainsi Keihin, Showa, Seiki Giken ou Denshi Giken font partie des sociétés qui ont pu tirer des enseignements de la compétition pour mettre au point leurs produits qui sont assemblés sur les véhicules Honda de M. Tout-le-Monde.

C'est après neuf saisons de championnats durant lesquelles elle remporta cent trente-neuf victoires et dix-huit titres de champion du monde que Honda décide, en 1968, de stopper momentanément la compétition motocycliste, à l'apogée de sa gloire et de sa renommée sur les circuits du monde entier.

Parallèlement à la compétition moto, Honda s'était engagé en Formule 1 en 1964 et décidait d'arrêter cette activité à la fin de la saison 1968. En fait, Honda avait compris qu'il valait mieux arrêter la compétition au sommet de la réussite pour pouvoir s'investir à fond dans le développement commercial, en particulier dans le domaine automobile, dès le début des années 70, avec l'apparition de la Civic.

Si Honda quittait ainsi les rubriques sportives dans la presse, c'était pour y figurer régulièrement dans les rubriques consacrées aux innovations techniques. L'avance technologique prise par Honda, en partie grâce à la compétition, allait rejaillir sur les nouveaux produits de la marque.

Dans le domaine automobile, les fragiles S 800 cédaient la place aux minivoitures N 360, N 600 et Z, dotées de robustes moteurs et, en option, d'une boîte automatique protégée par quantité de brevets, la Hondamatic. Au niveau des équipements, Honda dotait ses voitures de détails originaux : indicateur de porte mal fermée, ouverture de la trappe à essence et du coffre arrière depuis le poste de pilotage, boîte à monnaie, autoradio intégré au tableau de bord, antenne radio intégrée rétractable dans le montant du pare-brise, indicateur de non-extinction des veilleuses ou des phares, essuie-glace intermittent, etc. « Simples gadgets... », disaient alors les détracteurs européens de la marque japonaise. Aujourd'hui, tous les constructeurs ont adopté ces ex-« gadgets » qui font partie de l'équipement de base de la plupart des véhicules.

L'innovation la plus spectaculaire fut, bien sûr, la fameuse culasse CVCC qui permettait à Honda de répondre au cahier des charges du « Huskie Act » : en étant 80 p. 100 au-dessus des normes prescrites, Honda avait réalisé la voiture la moins polluante du monde. Dès lors, le constructeur japonais n'allait avoir de cesse d'introduire sur le marché des innovations techniques en première mondiale sur des machines de série : premier hors-bord 9,9 CV à moteur quatre temps, premières motocyclettes à démarreur électrique, premier tricycle tout terrain US 90, première voiture à quatre roues directrices, etc.

Si les années 70 symbolisèrent l'arrêt de la compétition en Formule 1 et dans le championnat du monde de vitesse moto, Honda continuait la compétition de manière plus « ciblée ».

Le service compétition de Honda, basé initialement au Japon, se développa dans trois pays pour répondre à une nouvelle demande de la direction, liée directement à des impératifs commerciaux : aux États-Unis où fut créé un staff motocross, en Angleterre, pour le trial, et en France, pour l'endurance et les raids africains. Les marchés du deux-roues étant différent selon les pays, Honda avait choisi de participer à certains types d'épreuves en fonction des objectifs commerciaux à atteindre.

Ainsi, pour s'implanter en force sur le segment du tout terrain très en vogue à cette époque aux États-Unis, Honda avait décidé de participer au championnat du monde de motocross et même d'engager quelques machines dans le championnat US de « grass track », spécialité pratiquée uniquement aux États-Unis. Jusqu'alors, ce type de compétition voyait la suprématie des motos équipées de moteurs deux temps, et des concurrents comme Suzuki ou Yamaha s'y étaient forgé une certaine réputation.

Honda présentait, en 1972, sa première moto de course dotée d'un moteur deux temps. Ce prototype de 250 cm^3 remportait le championnat de motocross 1972 au Japon et avait servi de base à la fabrication de modèles « compétition-client », les fameuses Elsinore RC 125 M et CR 250 M. Vendues aux États-Unis au début de l'année 1973, les 250 cm^3 remportaient le championnat national américain dès la première saison.

En 1973, parallèlement avec l'expérience motocross aux États-Unis, Honda avait engagé trois pilotes japonais sur des 125 cm^3, dans la fameuse épreuve de trial écossaise SSDT. A la suite de ce test, Honda décidait de confier le développement d'une machine originale à une équipe dirigée par un des plus grands spécialistes du trial, le Britannique Sammy Miller. Les deux expériences « tout terrain » vont réussir sur le plan de la compétition, mais surtout sur le plan commercial.

Le premier modèle « tout terrain » commercialisé par Honda fut la SL 125 : pas vraiment sportive, cette machine a été un succès commercial dans le monde entier grâce à ses capacités de machine tous usages légère, facile à conduire. Vendue dans ses légendaires robes vertes ou orange, la SL 125 a précédé la mise sur le marché de la XL 250 qui marqua de son empreinte la fin des années 70.

Pour poursuivre la carrière des prototypes de trial mis au point par l'équipe de Sammy Miller, Honda commercialisait, en 1976, un modèle compétition-client doté d'une technologie d'avant-garde dans bien des domaines : carters et moyeux en aluminium, cylindre chromé en aluminium, culasse à quatre soupapes par cylindre, cadre en molybdène, fourche en magnésium et réservoir en aluminium ! Doté de machines à peines déballées des caisses, le Team Honda US participait, dès le début de la saison, au championnat américain. Il devait terminer la saison en remportant le titre en tant que constructeur.

Pendant que les Anglo-Saxons étaient occupés par le « tout terrain », Honda France choyait en son sein une équipe qui allait donner à Honda ses plus belles victoires sur deux-roues : le Honda Endurance Racing Team, le HERT.

Contrairement au « tout terrain » ou à la vitesse, les machines utilisées par Honda en endurance ont des mécaniques qui proviennent de modèles déjà commercialisés. En fait, lors de la sortie sur le marché de la CB 750 Four, il suffisait d'un minimum de préparation pour adapter cette machine de manière à prendre le départ d'une épreuve du championnat d'Europe avec l'espoir de terminer dans les dix premiers.

Ce championnat d'endurance avait un impact très grand sur la clientèle « motarde » européenne qui suivait, avec un intérêt grandissant, ces épreuves, véritables bancs d'essais pour les machines. Triumph, BSA, Norton, Moto Guzzi, Laverda et BMW se disputaient ce championnat devant un public qui pouvait encourager les pilotes au guidon de « ses motos », tellement les différences étaient peu visibles entre les machines de série et celles adaptées pour la course. Les premières Honda engagées par des pilotes privés ou par des concessionnaires comme Christian Villasecca, fondateur de la concession Japauto à Paris, devaient semer le trouble parmi les équipes européennes officielles qui n'appréciaient guère d'être surclassées par des pilotes « amateurs » chevauchant des montures japonaises.

La remise au calendrier sportif du légendaire Bol d'or et la création des 24 Heures du Mans moto par l'Automobile-Club de l'Ouest permirent à ce championnat de retrouver un public et un éclat nouveaux.

Commercialement, la promotion de ce championnat était intéressante pour Honda qui pouvait y démontrer les qualités de ses machines à travers des épreuves de huit heures (Nürburgring, Zeltweg, Mugello, Suzuka, Donnington, Brands Hatch) et vingt-quatre heures (Spa, Barcelone, Bol d'or au Castellet, Le Mans).

Très rapidement, les fameuses RCB Honda allaient devenir les vedettes de ces épreuves qui allaient connaître un succès extraordinaire dès 1975. Le public de motards suivait le championnat avec un intérêt jamais vu : les 24 Heures du Mans moto et le Bol d'or font partie des plus importantes manifestations sportives européennes en nombre de spectateurs.

L'intérêt pour les spectateurs réside dans le fait que le spectacle est sur la piste et à l'intérieur du circuit : ces épreuves de vingt-quatre heures sont avant tout l'occasion de passer un week-end de fête avec des animations non-stop, des concerts de rock et autres spectacles proposés par les sponsors des équipes engagées. La nuit, les motards dorment sous la tente, au plus près de la bordure de la piste pour pouvoir suivre la course en écoutant les motos qu'ils reconnaissent au simple bruit.

Les Honda RCB du HERT, qui dominèrent le championnat dès le début des années 70, étaient des motos équipées d'un moteur extrapolé du fameux CB 750 Four réalésé à 1000 cm^3. De l'extérieur, c'est ce que tout motard pouvait penser en regardant la machine sur la piste en tête des épreuves. Dans la réalité, les différences étaient plus importantes, ne serait-ce que dans les métaux employés pour la fabrication des pièces.

Les pilotes de ces machines d'usine étaient en

majorité français, comme le tandem qui survola littéralement le championnat pendant plus de cinq ans, Christian Léon et Jean-Claude Chemarin. Les victoires du HERT dopaient les ventes des moyennes et grosses cylindrées sur le marché européen très friand en machines de route puissantes.

Honda conservait néanmoins largement son avance commerciale sur ce segment par l'introduction sur le marché des petites sœurs de la CB 750 Four. Tout d'abord apparaissait la CB 500 Four, puis la très jolie CB 350 Four et enfin les sportives 400 et 550 Four. La CB 900 Bol d'or devait, elle, ravir les amateurs de sensations fortes en adoptant un moteur proche de celui équipant les motos du HERT.

Dans cette surenchère permanente de nouveautés, Honda se devait aussi de répliquer à la concurrence.

La CB 750 Four, qui dominait le marché mondial depuis 1969, se faisait voler la vedette en 1973 par l'apparition de la 900 Kawasaki, puis en 1974 par la sortie de la 900 BMW.

Le jeudi 19 septembre 1974, c'est le président Kawashima en personne qui présente à la presse réunie à Los Angeles la nouveauté de l'année : la Honda Gold Wing 1000 cm^3. Cette moto est autre chose qu'une moto traditionnelle, c'est presque une voiture à deux roues, équipée d'un flat-four refroidi par eau.

La GL 1000, construite au Japon dans l'usine de

222

TECHNIQUE ET CRÉATIVITÉ

Sayama, sur une chaîne de quatre-vingt-cinq mètres de long, par seize ouvriers à la cadence de cinq mille exemplaires par mois, était en fait un exercice de style qui préfigurait ce que serait la moto des années 80. Aujourd'hui, sa grande sœur est toujours au catalogue, mais avec un moteur flat-six d'une cylindrée de 1500 cm^3, lecteur laser et radiotéléphone cellulaire en option.

Pour maintenir la pression, une autre moto d'exception fut bientôt proposée par la marque, la 1000 CBX, une superbe machine équipée d'un moteur six cylindres en ligne face à la route aux sonorités enivrantes.

Toutes ces nouveautés positionnaient toujours Honda comme incontestable leader sur le plan des innovations, mais pendant ce temps, la concurrence tentait de se forger une image sur les circuits de vitesse qui continuaient d'attirer de plus en plus de spectateurs et de téléspectateurs.

Au début des années 80, Honda remettait les grands prix motocyclistes à son programme compétition et décidait de participer aux nouvelles épreuves africaines comme le Paris-Dakar, mis sur pieds par Thierry Sabine.

Les débuts en Grand Prix furent plutôt hésitants avant que le tandem Honda-Freddy Spencer ne devienne l'éternel abonné des premières marches de podium.

C'est avec Cyril Neveu comme pilote et l'assistance technique du Honda Racing Team, installé chez Honda-France et dirigé par Jean-Louis Guillou, que Honda remporta ses plus beaux succès dans le Paris-Dakar.

Au même moment, en 1980, Honda prenait la décision de participer à nouveau aux épreuves du championnat du monde de Formule 1. Après une remise en jambes des personnels, en reprenant contact avec les circuits grâce au championnat de Formule 2, c'est en 1983, avec l'écurie Spirit, que Honda revenait officiellement à la Formule 1 avant de démarrer une véritable saison avec l'écurie de Frank Williams en 1984. Keke Rosberg et Jacques Laffite étaient les pilotes de ces voitures qui allaient évoluer durant huit saisons successives.

Ce retour à la compétition dans les années 80, c'est aussi le grand retour médiatique de Honda.

Dans les années 60, les courses de motos et de F 1 se disputaient devant un public de passionnés, et la presse spécialisée donnait les résultats aux amateurs avertis qui rêvaient de ces monstres sur deux ou quatre roues, pilotés par des hommes en combinaison vierge de toute broderie d'un quelconque sponsor.

En 1980, les grands prix motocyclistes et ceux de Formule 1 faisaient partie des spectacles télévisés que les chaînes de télévision s'arrachaient à prix d'or. L'ère des retransmissions par satellite transformait les voitures et les motos en panneaux publicitaires mobiles pour les plus grands fabricants de cigarettes, et les pilotes devenaient les sportifs les plus payés de la planète. Honda se

devait de participer et de gagner des courses en
direct devant plusieurs centaines de millions de
téléspectateurs qui étaient autant d'acheteurs
potentiels de produits Honda. Une fois de plus,
Honda gagnait son pari en devenant compétitif dès
la première saison et en étant rapidement l'équipe
à battre.

18.

TÉMOIGNAGES

Françoise et Masaru Unno

M. Honda, jusqu'à sa « retraite » en 1973, passait son temps entre ses usines et l'univers calme de sa maison de Tokyo en compagnie de son épouse Sachi Honda.

Il avait en fait très peu d'amis intimes, mais beaucoup de ceux qui avaient la chance d'être plusieurs fois les invités de M. et Mme Honda, lors de soirées ou de garden-parties, se disaient être des « amis du couple ». Dans la réalité, seules quelques rares personnes peuvent vraiment prétendre avoir été des amis du couple.

Parmi ceux qui en ont été les plus proches, Masaru Unno et son épouse font partie des rares amis intimes. Cette amitié remonte au début des années soixante, M. Unno se souvient :

« Quand j'étais étudiant, j'étais très décidé sur le type d'entreprise que je voulais intégrer une fois mon diplôme en poche. En principe, les jeunes s'inscrivent à deux ou trois, voire quatre concours

226

d'entrée organisés par les entreprises pour sélectionner leurs nouvelles recrues.

« Au départ, les deux seules entreprises qui me tentaient étaient celles qui étaient en dehors des traditions : Sony et Honda.

« Ces deux sociétés concevaient et fabriquaient des produits innovants avec une approche commerciale internationale et étaient dirigées par de vrais patrons, Akio Morita et Soichiro Honda, complètement libres et autonomes, totalement en dehors des traditionnelles Zaibatsu, ces conglomérats industriels du type Mitsubishi ou Mitsui.

« En fait, je ne me suis inscrit qu'à un seul concours d'entrée : celui de Honda Motor. J'ai pris cette décision quand j'ai découvert la personnalité de Soichiro Honda lors de son combat face au Miti pour obtenir sa licence de constructeur automobile. La détermination de cet homme, capable de taper du poing sur la table face à un gouvernement, m'avait conquis, et j'avais envie de travailler dans une équipe de battants dirigée par un véritable patron qui ne mâchait pas ses mots.

« Dans une période durant laquelle les jeunes diplômés avaient des difficultés à intégrer la vie active, cette unique candidature était risquée, mais j'ai eu la chance de faire partie des 3 p. 100 de candidats retenus pour composer cette promotion 1964, forte de quarante-huit membres. Parlant l'anglais et l'allemand, je fus directement orienté sur la section Export et Commerce international. Dans un premier temps, pour être en accord avec la tradition japonaise et avec la philosophie de la compagnie, j'ai fait un stage de trois mois d'apprentissage à Tokyo, puis j'ai travaillé comme simple ouvrier dans l'usine de Suzuka.

« A l'issue de cette période qui m'a permis de découvrir l'univers Honda, j'ai été nommé au Foreign Department, le service commercial chargé des exportations, situé à Tokyo dans l'immeuble de la Compagnie se trouvant en face de la gare de Yaesu. Il y avait en tout et pour tout trente-deux personnes qui travaillaient dans le service chargé de la commercialisation dans le monde entier des produits signés Honda. Cet immeuble de Yaesu était véritablement le centre nerveux de la compagnie. Tous les grands ingénieurs y avaient leurs bureaux.

« J'ai tout d'abord travaillé sur l'implantation de filiales et d'usines en dehors du Japon. Mon patron de l'époque était d'ailleurs M. Ueda, qui fut chargé du programme d'implantation de la première usine Honda en dehors du Japon, l'usine de deux-roues située en Belgique, à Alost.

« Quelques jours après mon arrivée au siège de la compagnie, M. Ueda vint me voir pour m'expliquer que Soichiro Honda devait recevoir un journaliste américain et que je pourrais servir d'interprète à mon président. J'étais très excité par cette mission de confiance, surtout que jusqu'à présent je n'avais rencontré que deux fois Soichiro Honda : la première fois lorsqu'avec mes camarades de la promotion Soichiro Honda nous fit un bref dis-

La campagne publicitaire qui déclencha l'explosion
de Honda aux Etats-Unis. En 1962 :
« You meet the nicest people on a Honda. »
(« Vous rencontrerez les gens les plus sympathiques sur une Honda. »)

L'usine de Hamamatsu, établie près du village natal de Soichiro Honda, est le site mythique de la Honda Motor. Construite en 1954, elle s'étend aujourd'hui sur 212 000 m² où travaillent 4 500 employés. Elle produit différents types d'engins de la marque : motocyclettes, moteurs hors-bord, groupes électrogènes, moteurs stationnaires et transmissions automatiques de voitures.

Une des rares photos où l'on retrouve côte à côte, et souriants, Soichiro Honda et son associé Takeo Fujisawa. A quelques semaines de leur départ à la retraite, en 1973, ils assistent, sur le circuit de Suzuka, à la quatrième édition du Idea Contest.

En 1964, Honda s'engage dans le championnat du monde de Formule 1 avec cette monoplace « 100 % made by Honda » équipée du fameux 12 cylindres de 1,5 litre de cylindrée.

En octobre 1963, les jeunes du monde entier tombent amoureux du plus petit cabriolet du marché, le S 500 Honda. Ce modèle sera suivi par le S 600, puis par le légendaire S 800 proposé aussi en coupé et animé par un redoutable 4 cylindres développant près de 80 chevaux pour à peine 800 cc !

Pour répondre aux normes japonaises en vigueur, Honda sort en 1967 une mini-voiture 4 places de 359 cc pour 3 mètres de long, équipée en option d'une boîte automatique à 3 rapports : la N 360. Deux versions plus « musclées », la N 600 puis l'originale Z, seront en Europe une alternative à la Fiat 500 et à la Mini pour les conductrices en mal d'exotisme.

Dévoilée en 1968 à la presse internationale, la Honda CB 750 Four est sans aucun doute la moto qui démoda toutes les autres en un instant. Le concept de la 750 Four a longtemps servi de base à l'évolution d'autres modèles de la gamme Honda.

La Civic représente le vrai démarrage de Honda dans l'aventure automobile, en 1972. Après plus de vingt ans de succès et plus de 7 millions d'exemplaires vendus, la Civic a rejoint les Cox Volkswagen, Ford T, 4 L Renault et 2 CV Citroën au Panthéon de l'automobile populaire.

Senna-Honda-Prost, le tiercé gagnant de la saison de Formule 1 1988, ici réunis à Suzuka dans le stand de l'écurie Mc Laren-Honda.

Ayrton Senna au volant d'une Mc Laren-Honda a fait le spectacle pendant plus de quatre ans sur les circuits de Formule 1. Soichiro Honda a suivi sur son téléviseur toutes les courses en direct. Il préférait ne pas se déplacer sur les circuits car, à plusieurs reprises, il s'aperçut qu'en sa présence les pilotes de Honda montaient rarement sur le podium...

En compagnie de Marcel Lachau, Soichiro Honda survole les Alpes en delta-plane pendant plus d'une heure. A 80 ans, M. Honda était toujours prêt à découvrir de nouvelles sensations.

Soichiro Honda était très fier d'avoir été l'initiateur du Idea Contest qui permet aux ouvriers de la société de mettre au point les engins les plus fous dans le but de les présenter à un concours annuel sur le circuit de Suzuka.

Les installations de Tochigi regroupent, à quelques kilomètres de Tokyo, les installations de Honda R & D, les pistes d'essais très perfectionnées, un aérodrome privé et l'usine (en haut à gauche) qui produit la NSX. *En bas :* Honda a toujours voulu jouer un rôle sur le plan de l'éducation des conducteurs. Depuis les années soixante, les écoles de conduite Raibow Motor School offrent leurs services aux clients japonais. Une école de conduite sur deux et quatre roues existe également sur le circuit de Suzuka, le Honda Safety Center.

Si Soichiro Honda a été l'homme de la moto pour Honda Motor, Nobuhiko Kawamoto, l'actuel président, est l'homme de l'automobile, qui représente en 1993 plus de 80 % du chiffre d'affaires de la compagnie. Tout comme son « père spirituel », Nobuhiko Kawamoto est un amoureux de la compétition, passionné de pilotage et de conduite au point de conduire lui-même sa Legend de fonction qu'il délaisse parfois pour une NSX. Longtemps en charge du R & D et responsable de la Formule 1 avant d'être président de la société, Nobuhiko Kawamoto s'est donné pour mission, d'ici les années 2000, d'achever le processus de mondialisation de la marque.

Toutes les photos proviennent des collections Honda Motor, Tokyo et Honda France S.A.

cours d'accueil, puis plus tard alors que j'étais sur une chaîne de montage à Suzuka.

« Le jour de l'interview je me suis rendu au siège de Honda Recherche et Développement où se trouvait en quasi permanence M. Honda et où il recevait ses invités et les quelques journalistes qu'il acceptait de rencontrer.

« J'étais tellement excité que la première chose que j'ai faite en arrivant a été de me précipiter aux toilettes pour me laver les mains, tellement je transpirais.

« Quand je suis entré dans son bureau, on aurait cru une scène de cinéma car nos regards se croisèrent quelques secondes et c'est lui qui coupa le silence : " Alors, c'est toi qui vas m'aider pour cette interview... Comment t'appelles-tu ? "

« Tout de suite il me mit à l'aise et j'ai ressenti, sinon une certaine sympathie, un fort respect à mon égard.

« Je devais m'apercevoir que Soichiro Honda respectait beaucoup les spécialistes qui savaient faire des choses qu'il ne maîtrisait pas. En l'occurrence il me respectait pour mes talents de traducteur en anglais, allemand puis français. En fait, Soichiro Honda avait beaucoup de complexes par rapport à son éducation. Il n'était pas doué pour les langues et ne parlait que le japonais et surtout il écrivait tellement mal que la plupart du temps il dictait ses notes et son courrier. C'est entre autres une des raisons pour lesquelles il ne put passer son brevet de pilote d'avion.

229

« Par contre, il avait, en plus de son génie pour la mécanique, un don exceptionnel pour juger ses interlocuteurs. Il sentait tout de suite si la personne qui s'adressait à lui était honnête ou non. Lors de nos voyages en avion, nous étions parfois huit à douze heures côte à côte et il me faisait des confidences, me disant que Untel qui paraissait très aimable et faisait beaucoup de flatteries était en fait un incapable qui ne rêvait que de pouvoir se vanter de faire partie de ses relations. C'est vrai qu'à Tokyo il y avait beaucoup de monde, surtout des étrangers, étudiants, membres de compagnies étrangères, corps diplomatiques, qui auraient fait n'importe quoi pour le rencontrer. Lors de nos déplacements à travers le monde, c'était la même chose : la venue de M. Honda était un événement des plus courus.

« Depuis notre première rencontre, en 1965, je n'ai quasiment plus quitté M. Honda qui faisait appel à moi en me demandant de me rendre immédiatement disponible dès qu'il devait se rendre à l'étranger ou recevoir quelqu'un d'important. Ces voyages d'affaires devinrent aussi des voyages d'agrément, surtout que Mme Honda était très complice avec mon épouse Françoise qui parle couramment le japonais. Aujourd'hui encore, bien que résidant en Suisse et en France, mon épouse voit régulièrement Mme Honda au Japon ou lors de voyages qu'elles effectuent ensemble. C'est une véritable amitié qui nous lie avec Mme Honda qui est la simplicité même et une véritable joie de vivre.

« Pour vous citer une anecdote à propos de sa simplicité, je me rappelle qu'un jour mon épouse était allée la rejoindre à Tokyo et lui avait indiqué l'horaire de son train et le numéro de son wagon. En arrivant en gare, pas de secrétaire particulier sur le quai pour la mener auprès de la limousine où Mme la Présidente aurait pu attendre avec son chauffeur et son garde du corps... En fait, c'était Mme Honda qui l'attendait, assise sur un banc, puis qui fit la queue avec mon épouse pour avoir un taxi !

« Mme Honda a beaucoup apporté à son mari tout au long de sa vie et sachez que Soichiro Honda n'était pas un homme si facile à vivre... Un jour, alors que nous étions tous les deux seuls en voiture, il m'avoua avec beaucoup d'émotion que jamais il ne serait devenu ce qu'il était sans sa femme. Cet aveu très personnel me toucha beaucoup de la part de Honda qui se livrait peu.

« En 1975, je fus nommé à Paris chez Honda France et, même durant cette période, M. et Mme Honda me faisaient parvenir des télégrammes pour que j'aille, parfois en compagnie de mon épouse, les retrouver aux États-Unis ou à l'autre bout du monde.

« La seule tension qui exista entre Soichiro Honda et moi ce fut lorsque, en août 1983, j'ai démissionné de la société Honda pour monter ma

MONSIEUR HONDA

propre affaire en Suisse. Pendant six mois, je n'ai pas eu de nouvelles et j'ai immédiatement regretté d'avoir pris cette décision... Je n'osais pas l'appeler au téléphone et en fait c'est lui qui m'appela pour me dire qu'il venait en Europe et qu'il s'arrêterait volontiers en Suisse avec son épouse pour nous rendre visite. Ils sont restés deux semaines avec nous, deux semaines de vacances durant lesquelles il ne put s'empêcher de me sermonner : " Pourquoi es-tu parti à à peine quarante ans ? On a besoin de drôles d'oiseaux comme toi chez Honda ! Tu fais partie de ceux qui, dans la société, connaissent le mieux le comportement occidental... Tu sais bien que tu es, comme moi, un Japonais un peu latin ! Es-tu prêt à travailler pour Honda en tant que consultant ? Tu ne peux pas me refuser ça tout de même... "

« En fait, j'ai été très fier de cette proposition car, jusqu'alors, il n'y avait jamais eu d'employé de chez Honda qui ait quitté volontairement la société et à qui on ait proposé de retravailler quelque temps plus tard.

« A partir de ce moment-là je n'ai pratiquement plus eu que des contacts personnels avec Soichiro Honda qui, à part pour sa fondation pour laquelle j'avais collaboré en 1976 et 1977, ne travaillait plus beaucoup pour la compagnie. Il jouait à l'ambassadeur itinérant, faisant surtout du lobbying. C'est une des périodes durant laquelle il a enfin profité de la vie comme il l'avait fait adolescent. Ses emplois du temps étaient diaboliques et il jonglait avec les décalages horaires pour aller rendre visite à ceux qu'il avait envie de voir de par le monde : chefs d'État pour les besoins de sa fondation, grands chefs pour le plaisir de la table, et ses amis pour parler, se distraire et rire avec eux.

« C'est la plupart du temps en Europe que M. et Mme Honda voyageaient, et c'est d'ailleurs étonnant de voir l'attrait qu'ont les directeurs et président de chez Honda pour cette partie du monde et plus particulièrement pour la France. Il y a quelque temps M. Kume, qui était alors président de la compagnie, et Nobuhiko Kawamoto, président actuel qui était directeur à l'époque, étaient dans ma voiture pour aller de Bruxelles à Paris. Tout à coup, M. Kume, voyant le nom de la ville d'Amiens sur un panneau, me demanda de quitter l'autoroute pour nous rendre dans cette ville de la Somme. Tadashi Kume me demanda ensuite de quitter la route nationale pour me rendre dans un petit village que nous avons atteint en dix minutes. Arrivés sur la place du village, Kawamoto et moi-même fûmes stupéfaits d'entendre M. Kume nous raconter, dans les moindres détails, une des batailles les plus importantes de la Première Guerre mondiale opposant les Français aux Allemands.

« Il était passionné de cette période et très admiratif du courage et des stratèges de l'armée française.

« Le plus drôle était de voir la tête des villageois éberlués, se demandant ce que racontaient ces trois Japonais dont l'un faisait des grands gestes devant le monument aux morts de la place du village...

« Plus que d'histoire, Soichiro Honda était féru d'art français, en particulier de peinture. Parmi les peintres qu'il admirait, Chagall était un de ses favoris et il fut très ému de pouvoir le rencontrer lors d'une visite en France.

« A ce sujet, il y a eu un moment amusant durant cette rencontre à laquelle j'assistais. Vous savez qu'au Japon on ne saurait rendre visite à quelqu'un sans lui apporter un présent, plus symbolique que majestueux pour ne pas gêner son hôte. En tant que peintre lui-même, amateur, certes, mais doué, Soichiro Honda arriva dans la demeure du peintre Chagall avec, comme présents, d'authentiques pinceaux japonais. Chagall, fou de joie, partit immédiatement dans son atelier pour essayer ses nouveaux pinceaux, laissant Soichiro Honda, son épouse et moi-même, seuls dans le salon.

« Soichiro Honda était ravi pour deux raisons. D'une part, parce que Chagall était content de son cadeau, et, d'autre part, parce que le peintre était parti sans s'excuser, traitant M. Honda comme n'importe qui, ce que peu de gens auraient osé faire.

« C'est vrai que Soichiro Honda a vécu comme une personnalité internationale depuis le début des années 70, reçu par les personnages les plus importants de la planète : chefs d'État, Premiers ministres de nombreux gouvernements et personnalités de tous horizons aimaient se montrer en compagnie de Soichiro Honda.

« M. Honda se prit tellement au jeu des réceptions qu'il en organisa plusieurs chez lui, à Tokyo, à l'époque de la pêche à l'ayu-tsuri. Ce poisson est une espèce de perche vivant dans les torrents et M. Honda était un fervent adepte de sa pêche. Avec l'âge, cette pêche sportive lui était contreindiquée par ses médecins et il décida de créer un parcours de pêche dans son jardin de Tokyo. Il a fallu creuser jusqu'à plus de trois cents mètres dans le sous-sol du jardin pour parvenir jusqu'à une source qui permit d'irriguer un minitorrent en surface.

« Chaque année, vers le mois de juillet, la meilleure période pour la pêche de ces poissons, Soichiro Honda organisait des " Ayu-tsuri parties " qui très vite firent partie des événements privés les plus prisés de la capitale japonaise. Des gens très importants auraient fait n'importe quoi pour faire partie des privilégiés qui étaient invités. Chaque " Ayu-tsuri party " de Soichiro Honda compta bientôt plus de trois cents invités.

« Une autre de ses passions était de jouer aux échecs, version japonaise, que l'on appelle le Sho-Gi. Malheureusement, ses " adversaires " n'osaient pas gagner face au vénérable " Oyaji San " et se laissaient battre pour pouvoir féliciter et flatter M. Honda.

« Un jour, Soichiro Honda me proposa de jouer

avec lui dans un salon d'aéroport pour tuer le temps car notre avion avait plusieurs heures de retard. Je me suis tellement pris au feu, fier de répliquer aux attaques intelligentes de mon adversaire, que j'ai fini par le battre ! M. Honda fut très vexé, mais au fond je crois que, cette mauvaise humeur passée, cela renforça en lui l'amitié et le respect qu'il avait vis-à-vis de moi en s'apercevant que j'avais joué avec naturel et sincérité. La sincérité et le naturel sont sans doute les deux qualités premières que l'on peut attribuer à M. Honda, et j'en ai fait également deux de mes lignes de conduite principale.

« En apprenant sa mort, mon épouse et moi-même avons été très touchés et avons eu le sentiment de perdre quelqu'un de très proche, presque de notre famille.

« Après une ultime rencontre à Tokyo, en juin 1991, il est venu faire un aller et retour éclair en Europe et nous l'avions trouvé fatigué. Depuis quelque temps, sa santé avait des hauts et des bas et son foie inquiétait beaucoup son médecin personnel qui le suivait parfois en déplacement.

« Je crois que l'un de ses derniers grands moments de joie et d'émotion a été lorsque la FISA, la Fédération internationale de sport automobile, lui a remis, en décembre 1991 à Paris, sa médaille d'or pour l'ensemble de ses succès dans la compétition automobile. En compagnie d'Ayrton Senna qui, lui, recevait sa médaille de champion

TÉMOIGNAGES

du monde des conducteurs en tant que vainqueur du championnat de Formule 1, nous avons vu Soichiro Honda, les yeux noyés de larmes, heureux, embrassant Ayrton Senna, cherchant le regard de sa femme dans la foule, pour jouir pleinement de ce moment exceptionnel. La récompense que l'on venait de lui remettre, seul Enzo Ferrari, disparu quelques mois plus tôt, avait eu l'honneur de la recevoir. Soichiro Honda s'était vu attribuer le titre suprême, celui remis par la plus haute instance du sport automobile mondial. Bien que M. Honda ait reçu beaucoup de distinctions et de titres tout au long de sa vie, je pense que cette médaille de la FISA représentait pour lui l'aboutissement d'une vie consacrée à l'amour de la mécanique et de la compétition.

« Maintenant que Soichiro Honda a disparu, nous voyons toujours fréquemment Mme Honda avec qui nous passons des moments exquis. Je vois aussi de temps en temps Hirotoshi, son fils que vous connaissez, et qui est le président de Mugen. Amoureux de mécanique et de compétition automobile comme l'était son père, Hirotoshi a fondé la société Mugen il y a quelques années et, d'abord préparateur de moteurs reconnu, il est en passe de devenir l'un des motoristes les plus performants du monde de la formule 1. »

Les activités de Masaru Unno comme consultant pour de nombreuses sociétés, parmi lesquelles la FOCA chargée des affaires qui entourent et protègent le monde de la Formule 1, lui permettent

237

MONSIEUR HONDA

de rester en contact avec ce monde de l'automobile
qu'il a découvert grâce à Honda Motor en 1964.

Ayrton Senna

A l'issue du championnat de Formule 1 1987,
Honda remportait, une fois de plus, avec Nelson
Piquet le titre associé à l'écurie Williams.

Sur le bord de la piste de Suzuka, Nobuhiko
Kawamoto, alors président de Honda Recherche
et Développement, en charge du programme Formule 1, arborait un large sourire. Il venait de
s'entretenir avec Soichiro Honda, comme chaque
fois après une course de Formule 1 :

« Au baisser du drapeau à damiers, mon premier sentiment a été une joie immense, celle
d'avoir pu satisfaire Soichiro Honda. Il va falloir
travailler dur pendant l'intersaison, avec de nouvelles voitures et de nouveaux pilotes, pour pouvoir encore annoncer d'aussi bonnes nouvelles à
Oyaji San durant les saisons prochaines. »

La saison à venir, celle de 1988, allait permettre
aux amateurs de découvrir un trio qui allait
donner cinq années de spectacles et de rebondisse-
ments en tout genre dans le monde de la F1 :
l'équipe formée par Mc Laren, Honda et Ayrton
Senna.

Ayrton Senna, surnommé par la presse
« l'enfant terrible des circuits », toujours entouré
des plus belles filles de la planète, devient une

238

TÉMOIGNAGES

véritable machine à gagner au volant de sa Mc Laren-Honda.

Alain Prost, son coéquipier chez Mc Laren, surnommé, lui, « le Professeur », fut fréquemment en conflit avec le Brésilien qu'il accusa d'être le « chouchou » de Honda et d'avoir le privilège d'utiliser une voiture plus performante.

Il y avait donc du sport sur la piste et aussi dans les stands, mais heureusement le chronomètre est la loi suprême et l'esprit sportif devait l'emporter tout au long de ces cinq saisons dominées par les moteurs Honda.

Comme pour beaucoup d'amateurs de Formule 1, Soichiro Honda avouait une véritable passion pour Senna, lui trouvant un caractère sportif et un don de pilote hors du commun.

Rares sont les pilotes de F 1 à être passés à la postérité et à être connus dans le monde entier. Ils sont aujourd'hui trois sur le podium de l'histoire de la F 1 : Fangio, Clark et Senna. Trois pilotes qui ont le pouvoir de faire s'enflammer les foules à leur passage et qui ont surtout un talent extraordinaire, celui d'aller vite sans donner l'impression de vitesse tellement leurs styles sont naturels.

Soichiro Honda avait une réelle amitié pour Ayrton Senna et, lorsque j'ai contacté Ayrton pendant la saison 1992 pour lui dire que j'aimerais qu'il participe à la rédaction de cet ouvrage, il m'a immédiatement donné son accord :

« Le seul problème, Yves, c'est qu'actuellement

239

la saison est très dure, tant sur la piste qu'au niveau des négociations pour la saison prochaine. Donne-moi quelques semaines et je t'écrirai une lettre à propos de Honda San. »

Quelques semaines plus tard, son assistante me téléphone du Brésil pour me prévenir qu'Ayrton allait me contacter lors de prochains essais en France sur le circuit de Magny-Cours. C'est à cette époque qu'il me remit le document ci-après :

« Chaque fois que je pense à M. Soichiro Honda, chaque fois qu'on me demande de parler de lui, la première image qui me vient à l'esprit est celle d'un homme énergique, tenace et heureux, très heureux. Chaque fois que je l'ai rencontré, ce fut un moment très particulier, et je n'oublierai jamais sa gentillesse et son énergie.

« J'ai un souvenir très vivace de ma première rencontre avec lui à la fin de l'année 1987. C'était dans un hôtel de Tokyo, Honda fêtait sa réussite dans le championnat du monde des constructeurs et des pilotes de Formule 1. Je venais d'achever ma première année dans l'écurie Lotus et à cette époque-là, il avait déjà pris sa retraite. Je me souviens que je l'avais trouvé rigolo dans sa façon de m'aborder : il s'est intéressé à moi avec la plus grande sincérité, il voulait me connaître vraiment, il souriait tout le temps et il m'a dit : " Si vous avez le moindre problème, n'importe lequel, téléphonez-moi et racontez-moi tout, je me débrouillerai pour que ce soit réglé le plus vite possible. " Comme s'il était engagé à plein temps dans le

240

projet F 1 et comme si n'importe qui pouvait
téléphoner à l'homme le plus important de la firme
juste pour discuter d'un problème de travail.

« Je ne savais pas grand-chose de lui à cette
époque. Au cours des années qui ont suivi, j'ai
appris à le connaître et j'ai su que M. Honda était
effectivement bel et bien au courant de tout ce
qu'on faisait dans le secteur de la F 1, et de tout ce
qui se faisait dans toute la firme, aussi bien dans le
domaine de la recherche que dans celui des
applications. On m'avait raconté qu'il visitait le
centre de recherche et de développement de Wako
très régulièrement et qu'il posait des questions aux
techniciens, aux ingénieurs et aux ouvriers sur les
moindres détails d'un projet.

« Notre seconde rencontre se produisit à la fin
de l'année suivante et, cette fois, c'était moi qui
fêtais mon premier titre de champion du monde.
Inutile de préciser dans quel état d'euphorie je me
trouvais. Je l'ai rencontré sur le stand. Il était là,
souriant, en grande — très grande — partie
responsable de mon succès, et il me remerciait
encore et encore pour le titre. Quel grand seigneur !

« J'ai eu le plaisir de le rencontrer à nouveau à
la cérémonie de remise des prix de la FISA, début
décembre 1990. La Fédération internationale de
sport automobile rendait un hommage plus que
mérité à l'homme qui symbolisait le mieux la
technologie et la compétition à travers la firme qui
portait son nom. M. Honda était là, toujours

souriant, et il remercia tout le monde pour cet hommage, comme s'il n'avait jamais rien fait d'autre que son devoir.

« Quelquefois je me dis que M. Honda avait réussi à transmettre son charme magique à toute sa firme. Début août 1991, nous étions en Hongrie pour la première course juste après sa mort. Tous les membres de l'équipe Honda-Marlboro-Mc Laren portaient un brassard noir en signe de deuil. Nous n'avions pas réussi à gagner un seul grand prix depuis le 12 mai lorsque j'ai terminé premier sur le circuit sinueux de Monaco. A cette date, Nigel Mansell sur Williams-Renault se rapprochait dangereusement de notre classement dans le championnat. Eh bien, j'ai réussi à partir en pole position et à gagner la course à Budapest, ce qui nous a menés tout droit à la victoire et à un titre de plus.

« Cette année, à Monza, la société Honda vient d'annoncer officiellement qu'elle se retire de la Formule 1 et je ne sais pas quoi dire pour exprimer l'ampleur de cette perte. Et que se passe-t-il alors ? J'ai gagné cette course ! Une saison très difficile, marquée par l'indiscutable supériorité des Williams-Renault, et j'ai réussi à offrir à Honda une soixante-dixième victoire en F 1. Il me semble vraiment qu'il s'agit de magie. Lorsque l'on a connu Soichiro Honda, on comprend le succès de sa firme. C'était l'un des hommes les plus enthousiastes que j'aie jamais rencontré. Son souci de l'innovation, de l'excellence technique, et son désir de réussite dans la compétition automobile furent un exemple pour tous ceux qui, de près ou de loin, étaient impliqués dans ce sport.

« Que pourrais-je ajouter d'autre si ce n'est que j'ai été très heureux d'avoir la chance de rencontrer un tel homme. La réussite de sa firme sera toujours la plus belle et la plus fidèle commémoration du grand homme qu'il fut. Grand et heureux. »

Claude F. Sage, l'ami suisse

M. Sage, actuellement président de Honda Automobile SA en Suisse, est depuis longtemps un passionné de sports mécaniques.

Au début des années 60, il termine ses études à l'université de Lausanne pour rejoindre la rédaction de la *Revue automobile* et parfois même participer à des épreuves en tant que pilote, comme par exemple aux 24 Heures du Mans.

Dès 1964, il rencontre sur les circuits les premiers ingénieurs japonais qui s'occupent des Honda de Formule 1. Aujourd'hui, c'est avec nostalgie et émotion qu'il reconnaît sur les photos, prises à l'époque par les photographes de son journal, les visages de ceux qui, trente ans plus tard, sont devenus les dirigeants de la compagnie : Tadashi Kume et Nobuhiko Kawamoto.

Très vite, Claude F. Sage quitta le journalisme, mais resta dans le monde de l'automobile à travers diverses activités commerciales.

En 1973, Honda Motor n'avait pas de distributeur officiel en Suisse, et c'est Claude F. Sage qui prépara un dossier d'étude du marché suisse afin de le communiquer à Tokyo. Ce dossier arriva sur le bureau de Masaru Unno qui lui proposa de venir le voir au Japon au début du mois d'octobre 1973.

Quelques mois plus tard fut créée la société Honda Automobiles (Suisse) SA à Genève, avec Claude F. Sage comme président. C'est à ce titre qu'il retourna au Japon cette année-là et qu'il rencontra Soichiro Honda comme il me le raconte :

« Vous savez que lorsque l'on se rend au Japon pour travailler, la société qui vous accueille vous fait suivre un emploi du temps minuté à la seconde près ! J'ai donc visité tambour battant tous les lieux, bureaux et usines qu'il paraissait important que je connaisse en tant que responsable de l'importation des automobiles Honda en Suisse. C'est en visitant le centre de recherche de Wako que j'ai rencontré fortuitement Soichiro Honda.

« Ayant pris sa retraite officiellement en 1973, j'étais étonné de le rencontrer là et j'appris que depuis qu'il était en soi-disant retraite avec le titre de " Supreme Advisor ", M. Honda rendait fréquemment visite au centre de Wako pour suivre l'évolution de produits qu'il avait commencé à étudier quelques années auparavant.

« Je lui ai été présenté et j'ai eu immédiatement l'impression que son intérêt pour ce que je pour-

rais être amené à lui dire serait sans limites !
C'était pour beaucoup ce qui faisait sa force et son
charme. On avait l'impression de le connaître
depuis toujours et il se passionnait pour tellement
de choses qu'il mettait immédiatement à l'aise ses
interlocuteurs.

« Visiblement, le " feeling " est passé entre nous
et dès lors nous nous sommes revus très fréquemment, soit à titre personnel, soit dans des réunions
officielles telles que celles organisées pour la fondation Honda.

« Ce qui était surprenant, c'était la facilité de
communication qui existait entre nous. Vous le
savez, Soichiro Honda ne parlait que le japonais
que je ne comprends absolument pas. En fait,
lorsque notre traducteur s'absentait quelques instants, nous parvenions à continuer notre conversation car Soichiro Honda avait une manière très
personnelle de s'exprimer, à force de gestes et
d'expressions, qui faisait que, le connaissant bien,
il était relativement aisé de le comprendre. Étant
moins doué que lui pour les méthodes du mime
Marceau, je préférais quant à moi m'aider de
petits croquis pour tenter de m'expliquer.

« En fait, avec lui les choses étaient simples : il
ne se forçait jamais à faire des choses qui ne lui
plaisaient pas ou qui lui étaient imposées. Son luxe,
en fait, c'était sa liberté pour pouvoir mener à bien
les missions de sa fondation et rencontrer les êtres
qui lui étaient chers. Il ne restait jamais en place.
Je garde le souvenir de Soichiro Honda présidant

la fondation en présence de chefs d'État, prenant son rôle très au sérieux, et de Honda San très détendu, capable à plus de quatre-vingts ans de s'élancer en deltaplane au-dessus de Genève ou de faire de la montgolfière.

« Parfois, son enthousiasme l'entraînait à dépasser les bornes de la vie normale d'un grand chef d'entreprise, et ses attitudes étaient la cause de bien des soucis pour son entourage. C'est ainsi qu'à force d'insister auprès de l'aéronaute qui pilotait la montgolfière dans laquelle il avait pris place, il fut contraint d'atterrir dans les Alpes, à plus de trois mille mètres d'altitude. Il a fallu que nous allions la rechercher en hélicoptère pour le dégager de ce mauvais pas avant que la nuit tombe.

« Un autre jour, longeant le lac Léman, l'envie lui prit de louer un bateau de sport pour parcourir le lac. Il fallait dans l'instant trouver un canot automobile et, par chance, celui-ci lui rappela le modèle qu'il avait possédé étant jeune. Réellement, on ne pouvait s'ennuyer avec lui, le seul problème était de pouvoir le suivre, physiquement parlant !

« J'ai trouvé dans un ancien agenda l'emploi du temps d'une journée particulièrement éprouvante : le matin avait été consacré à une balade en hélicoptère dans les montagnes suisses, puis à la visite d'un musée technique. Après le déjeuner, Soichiro Honda installa son matériel de peinture dans le parc de son hôtel pour peindre quelques paysages avant de nous demander, en fin d'après-

246

midi, ce qu'il serait envisageable de faire dans la soirée... Le " moteur " de M. Honda, c'était son enthousiasme, son envie perpétuelle de créer la vie, la joie et de la communiquer autour de lui. Il aimait que son entourage s'exprime, même si, souvent, il était très entier et s'efforçait d'imposer sa propre vision des choses. Il acceptait la discussion mais s'efforçait toujours d'être si convaincant qu'elle tournait finalement à son avantage.

« S'il était vif et curieux de tout, Soichiro Honda était aussi impatient, ce qui occasionnait parfois des sautes d'humeur surprenantes. Il était aussi capable de passer en quelques secondes de l'enthousiasme et de la joie à la plus vive colère, non par énervement, mais parce qu'il se sentait frustré ou que les circonstances le privaient du plaisir qu'il aurait voulu ressentir.

« Je me souviens particulièrement d'un dimanche après-midi durant lequel, chez moi, en robe de chambre dans le salon, M. et Mme Honda suivaient à la télévision un Grand Prix motocycliste lors du championnat du monde des 500 cm^3. Le pilote américain Freddy Spencer au guidon de sa Honda d'usine était en tête de l'épreuve, et Soichiro Honda ne cessait de m'expliquer les grandes compétences des ingénieurs qui avaient créé la moto grâce à des technologies révolutionnaires, l'emploi de pistons ovales, etc.

« Tout à coup, Spencer se mit à ralentir et s'arrêta définitivement sur le bord de la piste. Aussitôt, M. Honda, sans tenir compte du déca-

247

lage horaire, bondit sur le téléphone en m'expliquant qu'il désirait immédiatement avoir des
explications sur la panne dont Spencer avait été la
victime. Heureusement pour les ingénieurs
concernés, Honda ne put les joindre immédiatement...

« Aujourd'hui, ses visites me manquent. Elles
étaient toujours sources de moments que l'on a
plaisir à se rappeler au fil des années.

« J'ai eu la chance de pouvoir m'entretenir avec
M. Honda des techniques d'hier et d'aujourd'hui
et j'aurais voulu pouvoir davantage parler de celles
de demain.

« J'ai eu aussi le grand plaisir, parce qu'il était
curieux, de parler avec lui du système de défense
suisse, de son armée et de son aviation. Amoureux
tous les deux de mécanique et de sport, nous
parlions bien sûr de moteurs, de F 1, mais aussi de
peinture, de golf, de bateaux et même des tours de
cartes et de magie qu'il appréciait énormément
mais qu'il n'avait la patience ni d'apprendre ni de
réaliser. »

L'EMPIRE HONDA AUJOURD'HUI

Pour mieux comprendre ce que représente aujourd'hui la société fondée par Soichiro Honda, il faut regarder attentivement la planisphère qui accueille les visiteurs dans l'entrée du bâtiment principal de l'usine de Hamamatsu. On s'aperçoit alors que le processus de mondialisation de la marque est un modèle du genre quand on y visualise que les produits de la marque sont fabriqués ou assemblés dans trente-sept pays grâce à soixante-huit usines qui forment autant de points lumineux sur le métal de la planisphère. Ces produits sont distribués par l'intermédiaire de concessionnaires et distributeurs contrôlés par vingt-trois directions commerciales officielles réparties sur la planète.

Ce souci de mondialisation répond à une demande de besoins de matériels différents en fonction des pays où vivent les utilisateurs. Les produits manufacturés ne sont pourtant pas toujours exclusivement réservés au marché local ; les usines de Thaïlande et d'Italie fabriquent des modèles de motos qui sont exportés vers le Japon et certaines voitures fabriquées aux USA sont également exportées vers le Japon et l'Europe.

La gamme Honda est donc très riche en références, et ce sont plusieurs centaines de produits différents qui sont fabriqués de par le monde, ce qui entraîne aussi un nombre incroyable de références de pièces détachées... Pour simplifier la vie des utilisateurs, Honda fabrique également les pièces détachées localement. Le vœu de Honda consiste à poursuivre cette mondialisation en harmonie totale avec les pays concernés. Ce type d'implantation à l'étranger peut se faire à différents niveaux après une étude détaillée des besoins locaux. C'est ainsi que l'implantation d'une unité de fabrication Honda à l'extérieur du Japon peut se faire sous la forme d'une collaboration technique avec un constructeur déjà existant, d'une « joint-venture » avec des capitaux locaux, de l'établissement d'une entité indépendante de production ou bien de contrats de licence pour la fabrication de produits par le biais de sous-traitants.

Historiquement, le programme de mondialisation de Honda a débuté avec la création de Honda Belgium en 1962. Grâce à l'expérience acquise avec cette première implantation en dehors du Japon, Honda a pu mettre au point les techniques à appliquer pour la suite de son programme mondial.

Un des exemples les plus brillants d'implantation à l'étranger est sans aucun doute Honda of America Manufacturing (HAM) aux États-Unis. Les Américains découvrent très tôt, en 1954, les produits Honda, et la marque explosa réellement en 1962 avec la campagne publicitaire « Nicest People » qui apporta une extraordinaire image de marque et un capital sympathie très important à Honda.

Pendant très longtemps, beaucoup de produits créés par Honda étaient imaginés spécialement pour le marché américain qui ne cessait de réclamer des nouveautés totalement originales.

Au début des années 60, les gammes de deux-roues existantes étaient plutôt simplistes : les Français et les Italiens trustaient le marché des cyclomoteurs 50 cm³ économiques, les Anglais restaient fidèles à leurs éternelles Norton et autres BSA pendant que les Allemands se contentaient de leur fameux flat-twin BMW, à l'image des Américains et de leur Harley-Davidson en V.

Tous ces engins étaient des véhicules utilitaires à l'aspect souvent quelque peu austère. L'idée de génie de Honda a été de rendre le deux-roues plus ludique et de le débarrasser de l'image « mauvais garçon » qui lui était accolée.

La campagne publicitaire « Nicest People » imaginée par l'agence Grey popularisa d'un coup le fameux Super Cub qui devint un best-seller au pays de l'oncle Sam. D'une allure plutôt sympathique, le Super Cub était proposé dans des couleurs vives et distribué chez les détaillants d'articles de sport et non dans des garages où l'on aurait pu croiser des hordes de « Hell's Angels ». Ce formidable succès s'effrita en 1966 quand les ventes chutèrent de 22 000 ventes mensuelles à moins de 3 000. Tout à coup, Honda se rendit compte que le Super Cub avait été une mode pour une certaine clientèle et qu'il fallait trouver non pas des nouveaux modèles, mais plutôt des nouveaux styles d'engins.

Les bureaux d'études et de design Honda imaginèrent alors des modèles totalement nouveaux et parfois seuls sur le segment : de la minimoto, la fameuse Monkey à selle de couleur écossaise, aux grosses 450 cm^3 bicylindre, les ingénieurs de chez Honda ont inventé des dizaines de nouveaux modèles durant cette fin des années 60. Les ventes redémarrèrent de plus belle et les gammes de produits s'élargirent de plus en plus. Dorénavant, Honda proposa des Mopeds, des motos de route, de ville, de cross, de trial, d'endurance et, un peu plus tard, des tricycles, des Quad et des scooters. En fait les ingénieurs de la marque ont imaginé de nouvelles utilisations et créé les deux-roues qui pourraient y correspondre.

Depuis plusieurs années, les modèles développés pour le marché américain sont « pensés » par Honda R & D North America, la filiale de Honda R & D of Japan. Après les motos, ce sont aujourd'hui sur les modèles automobiles que travaillent les ingénieurs de cette société qui réfléchissent en fonction des besoins spécifiques de la clientèle américaine.

La première création importante émanant de Honda R & D North America est le break Accord qui fut lancé officiellement en avril 1991 lors d'une conférence de presse présidée par Nobuhiko Kawamoto au showroom du Aoyama Honda Center de Tokyo.

Cette cérémonie de lancement était un moment réellement historique dans l'histoire de la société qui, pour la première fois, présentait un modèle original conçu et fabriqué à l'extérieur du Japon. Le break Accord, appelé aussi « Accord Wagon » et « Accord Aerodeck », aujourd'hui exporté vers l'Europe et le Japon, représente la parfaite réussite du processus de mondialisation de la marque dans le secteur automobile.

Autre type d'adaptation à laquelle Honda a dû faire face aux USA, c'est la division de la gamme sous deux marques et deux réseaux de vente différents.

Les grands constructeurs américains, GM ou Ford, ont habitué les consommateurs à des marques spécialisées : on achètera une station-wagon de marque Buick, un pick-up Chevrolet et une limousine Cadillac. Honda a donc différencié ses modèles en les distribuant sous les marques Acura ou Honda. Les deux réseaux chargés de la distribution sur le territoire américain jouent le jeu de la concurrence au plus haut niveau puisque, depuis près de cinq ans, ils sont leaders dans les sondages d'indice de satisfaction des conducteurs américains.

Si le cas américain passe pour exemplaire, la structure mise en place en Europe dès 1961 est, elle, très différente au niveau de son évolution. L'implantation de European Honda en Allemagne avait pour but d'assurer tout d'abord la distribution des produits Honda en Europe. C'est avec l'usine de NV Honda Motor SA en Belgique que débuta, en 1963, la fabrication de deux-roues en Europe, principalement des cyclomoteurs de 50 cm^3. Plus tard, des accords furent passés avec des entreprises espagnoles et italiennes pour la fabrication de nouveaux modèles sous la marque Honda.

Parfois, il faut soulever le capot moteur pour découvrir un moteur Honda sur un deux-roues d'une autre marque. C'est, par exemple, le cas pour les scooters Peugeot fabriqués en France sous licence Honda, suite à un accord signé en 1981. En 1984, Honda rentrera de manière importante dans le capital de Peugeot Cycles. Toujours en France, Honda France Industries SA assure la production de tondeuses à gazon. Dans le domaine de l'automobile, Honda frappa un grand coup en 1979 en signant un accord de coopération avec le groupe British Leyland. Cet accord a été signé initialement dans l'optique de mettre au point un véhicule nouveau, fabriqué en Grande-Bretagne et commercialisé sous les marques Rover et Honda.

L'EMPIRE HONDA AUJOURD'HUI

Aujourd'hui, l'œil averti d'un amoureux de l'automobile décèle facilement le cousinage existant entre la Rover 200 et la Honda Concerto et celui qui lie la Honda Legend à la limousine Rover 820 Sterling.

A quelques détails d'aménagement près, ces véhicules fabriqués sur les mêmes chaînes de montage sont quasiment identiques sur le plan mécanique. Ces voitures, produites par l'usine britannique de Honda, font les choux gras des négociateurs et lobbyistes dans les couloirs des bâtiments de la CEE à Bruxelles. L'Europe ayant une politique de contingentement très ferme vis-à-vis de l'importation des voitures japonaises, les gouvernements ne savent comment considérer les voitures fabriquées localement et encore moins celles fabriquées dans d'autres pays.

En effet, une Honda Accord Break totalement conçue et fabriquée aux États-Unis ne peut tout de même pas être considérée logiquement comme une voiture japonaise soumise au contingentement...

Le cas de l'Europe étant à lui seul un cas spécifique pour des raisons entre autres liées aux nouvelles dispositions économiques datant du 1er janvier 1993, Honda y a installé dès le début des années 80 une véritable tête de pont commerciale et marketing basée en Grande-Bretagne. Comme pour le marché américain, Honda a choisi d'établir en Europe un centre de recherche et développement chargé de réfléchir aux marchés européens de demain et aux matériels qui pour-

raient répondre à une demande spécifiquement
locale. Ce centre, le Honda R & D Europe, établi
en Allemagne entend jouer un rôle important sur
les futures productions de la marque, manufactu-
rées en Europe pour une commercialisation locale
ou en vue d'une exportation vers d'autres pays.

L'ORGANISATION HONDA

Les chapitres qui précèdent démontrent l'importance des différentes structures R & D dans le développement de la marque sur le plan commercial et sportif. Au sein du R & D, une société a une importance capitale, la Honda Engineering Co Ltd.

Cette société crée les machines qui permettent à Honda de fabriquer ses produits en utilisant des techniques originales. Les machines sont dessinées, développées et produites exclusivement pour répondre à des besoins propres à Honda, avantage extraordinaire qui permet à Honda de laisser ses ingénieurs donner libre cours à leur imagination, sans se soucier de savoir si une machine existante pourrait fabriquer la pièce ou le système qu'ils sont en train de mettre au point. Une fois leur découverte au point et son intérêt validé par le marketing, les ingénieurs de Honda Engineering mettront au point la machine qui pourra la fabriquer.

Le fait de pouvoir fabriquer soi-même ses outils de production limite les relations avec les entreprises extérieures et ainsi permet de rester discret sur ses projets à moyen terme.

L'usine de Tochigi, qui fabrique la NSX, est sans aucun doute la vitrine technologique la plus impressionnante au niveau de l'ingénierie dans le secteur automobile. Certaines parties de la chaîne, comme, par exemple, la partie consacrée à la peinture, sont classées « Restricted Area » où seuls les employés autorisés ont accès.

Les chaînes « clés en main » proposées par Honda Engineering équipent l'ensemble des usines Honda à travers la planète et sont étudiées dès le départ pour pouvoir être polyvalentes. La plupart des chaînes automatisées permettent de fabriquer et d'assembler différents types de voitures avec le même équipement standard. La programmation électronique permet de faire évoluer les robots de manière différente en fonction du modèle à traiter.

En dehors des usines installées aux États-Unis ou en Europe déjà citées, les principales unités de production de la marque sont réparties au Japon sur différents sites :

● Hamamatsu.

Hamamatsu, c'est le berceau de Soichiro Honda et de sa compagnie. Tout a commencé là, à moins d'une demi-heure d'avion de la capitale japonaise. Longeant le terrain d'aviation militaire de la ville, l'usine Honda s'étend sur plus de 212 000 m^2 et emploie 4 500 employés. En fait, Hamamatsu n'est pas une usine, mais un ensemble de chaînes de montage qui produisent depuis 1954 des produits très différents, de la motocyclette au groupe électrogène, en passant par des moteurs hors-bord, des motoculteurs et des boîtes de vitesses automatiques pour automobiles. Depuis quarante ans, Hamamatsu n'a jamais cessé d'évoluer et restera pour toujours l'un des endroits mythiques de la société où planera à jamais l'esprit de Soichiro Honda.

● Suzuka.

Suzuka est, depuis 1960, la plus importante usine de production de la société Honda. Après avoir été la plus importante usine de motos du monde, Suzuka est aujourd'hui principalement une usine automobile. Sa ligne de production numéro 3 est, sans aucun doute, l'une des plus automatisées au monde. Sur toutes les chaînes, des efforts particuliers ont été faits pour créer un environnement humain et rendre le travail le moins fatigant possible. Ce sont aujourd'hui plus de 11 000 employés qui travaillent chaque jour dans cette unité de production spectaculaire qui s'étend sur près de 900 000 m^2.

L'usine de Suzuka est à quelques kilomètres de l'infrastructure de loisirs comprenant entre autres le circuit de Suzuka et Hondaland.

● **Kumamoto.**

Le site de Kumamoto s'étend sur 1 690 000 m^2, dans un décor de verdure qui cache plusieurs pistes d'essais très bien équipées.

Mise en service en 1976, cette unité de production fabrique plusieurs modèles de deux-roues et de matériels divers. Une des spécialités de l'usine de Kumamoto est de fabriquer des moteurs et des kits destinés aux diverses usines d'assemblages réparties dans le reste du monde. Actuellement, Kumamoto emploie près de 3 000 personnes.

● **Saitama.**

Le complexe de Saitama comprend deux unités de production distinctes, l'usine de Wako, établie en 1953, et celle de Sayama datant, elle, de 1964.

Sayama.

Cette usine, créée en 1964, s'étend sur 348 900 m^2, et 6 700 employés y travaillent quotidiennement pour produire exclusivement des automobiles. Entièrement reconditionnée il y a quelques années, l'usine de Sayama présente des solutions originales au niveau de l'organisation des chaînes de montage qui ont comme particularité principale de se déployer sur plusieurs niveaux.

Une autre particularité de cette usine est un système de distribution automatique des pièces détachées sur les différents points de la chaîne d'assemblage.

Tous ces systèmes originaux ont permis d'augmenter la productivité de l'usine de manière spectaculaire.

Wako.

Ce site est un des tout premiers où s'implanta Honda, dès 1953, notamment pour y créer un centre de R & D.

L'usine de Wako s'étend sur 97 500 m², et 1 900 employés y fabriquent des moteurs avec des équipements automatisés et pilotés par ordinateur qui assurent une qualité de fabrication exceptionnelle.

Chaque mois, près de 80 000 moteurs sortent des chaînes de Wako.

• Tochigi.

A côté du centre de R & D de Tochigi se trouve la plus récente usine japonaise de la société.

Créée en 1990, cette usine emploie trois cent dix ouvriers et ingénieurs chargés de construire la voiture de sport haut de gamme NSX.

Ce coupé sportif est une véritable vitrine technologique, et l'usine de Tochigi est sans aucun doute une des plus modernes du monde sur le plan de ses équipements et de sa logique de conception. Actuellement, Tochigi est la seule usine du monde à fabriquer en série une voiture dotée d'une carrosserie en aluminium.

● Mohka.

Depuis 1980, l'usine de Mohka joue un rôle vital au sein de la société. C'est en effet à Mohka que sont fabriquées les pièces détachées pour moteurs Honda, base de la qualité et de la garantie de performance des véhicules Honda.

● Yokkaichi.

Cette usine appartenant à la société Yachiyo Industries est chargée par Honda de réaliser l'assemblage final de ses mini-utilitaires de type ACTY.

La production automobile réalisée aux États-Unis, au Canada et en Europe, devient de plus en plus importante depuis la fin des années 80 grâce aux cinq usines suivantes :

● Marysville, Ohio, États-Unis.

Située au nord-ouest de la ville de Columbus, l'usine de Marysville fut la première unité de production créée aux États-Unis par Honda pour y fabriquer des deux-roues en 1979.
Dès 1982, Marysville se transforma pour accueillir une chaîne de montage automobile qui

fournit le marché nord-américain en Civic et Accord au rythme de 30 000 voitures par mois. C'est d'ailleurs à Marysville que se trouve l'unique unité de production qui fabrique le coupé Accord et l'Aerodeck Accord pour le marché local et l'exportation.

Marysville produit également, en exclusivité, la moto GL 1 500 Gold Wing exportée dans plus de seize pays dont le Japon.

Le petit véhicule tout terrain TRX Four Trax est également produit dans cette usine qui emploie 6 500 employés et qui s'étend sur 300 000 m².

● East Liberty, Ohio, États-Unis.

Opérationnelle depuis 1989, cette usine produit plus de 15 000 Civic par mois pour un total de 1 800 employés.

● Anna, Ohio, États-Unis.

Cette usine américaine est le complément industriel obligatoire de Marysville et de East Liberty. C'est en fait à Anna que sont fabriqués les moteurs de Civic et d'Accord, assemblés ensuite dans les deux usines situées dans le même État. Une des particularités de la chaîne de fabrication d'Anna est sans aucun doute de pouvoir assembler sur la même chaîne des moteurs de Civic, d'Accord ou de moto.

Sur le même site, l'usine d'Anna produit à la

fois des moteurs et des transmissions, ce qui demande normalement au Japon l'intervention de sept usines pour en arriver aux mêmes produits finis.

● Alliston, Ontario, Canada.

Située au Canada, au nord de Toronto, cette usine fabrique plus de 8 000 véhicules de la gamme Civic chaque mois.

1 200 employés travaillent dans cette usine qui est la troisième plus importante dans le secteur automobile au Canada.

● Swindon, Grande-Bretagne.

Inauguré à la fin de l'année 1992 par le président Kawamoto, le site de Swindon devrait produire, à l'horizon 1995, 100 000 voitures et 120 000 moteurs par an.

Cette usine représente un investissement de plus de 350 millions de livres sterling.

Jusqu'en 1993, il faut rappeler que c'était l'usine Rover qui fabriquait la Honda Concerto et ses cousines Rover des séries 200 et 400.

La grande force de Honda a été d'installer ces usines en parallèle avec des centres de R & D locaux. Ces centres, dépendants de Honda R & D Co Ltd et aussi de Honda Engineering Co Ltd, permettent ainsi à Honda de bien sectoriser les trois zones commerciales de première importance que représentent l'Amérique du Nord, l'Europe et le Japon.

Les structures mises en place dans ces trois secteurs permettront éventuellement un jour prochain de les rendre chacun complètement autonome.

Pour en revenir aux centres de R & D, voici ci-après leurs localisations et spécialités :

● **Honda R & D Co Ltd.**

Tochigi R & D Centre :
Situé à 100 kilomètres au nord de Tokyo, ce centre que j'ai eu la chance de visiter est aujourd'hui le principal site de R & D de la société.

Ce complexe technique ultra-secret recèle des installations destinées à tester les matériaux dans toutes les conditions possibles, et impossibles, d'utilisation. Ces laboratoires comptent parmi leurs équipements les installations suivantes :

— Banc d'essais dynamométriques pour moteurs et transmissions.

— Cellules de tests d'émissions de gaz d'échappement.

— Chambres pour tests climatiques.

— Chambres pour tests acoustiques.

— Chambres pour tests d'interférences magnétiques.

— Bancs d'essais pour châssis.

— Simulateurs PAO.

En plus de ces équipements de laboratoire, le centre de Tochigi dispose, depuis 1979, d'une piste d'essai qui, sur trente-six kilomètres, permet de se retrouver dans tous les types de configurations routières rencontrées sur la planète.

J'ai pu circuler sur ces pistes d'essais au volant de différentes voitures (Accord, NSX et Cabriolet Beat) et c'est tout à fait étonnant de passer, en quelques instants, d'une Highway américaine à une petite route de la cordillère des Andes avant d'aborder un virage en dévers dans une forêt tyrolienne ! En plus de ce circuit « à thèmes », les installations comprennent des pistes d'accélération, un anneau pour tests d'endurance à haute vitesse, une aire de test de freinage et de braquage, une piste de manœuvrabilité et, pour clôturer le tout, une piste inondable à volonté grâce à un système électronique gérant cinq réservoirs souterrains.

Les installations de Tochigi, très orientées sur les recherches liées à l'automobile, « occupent » les esprits créatifs de 3 400 chercheurs et ingénieurs.

Wako R & D Centre.

Jouxtant les installations de l'usine de Saitama, le Centre R & D de Wako est le berceau original du R & D automobile de la compagnie. Le R & D automobile Honda étant déplacé à Tochigi, Wako a focalisé ses études sur les futures technologies utilisées dans les moteurs de demain, qui fonctionneront avec des carburants habituels ou grâce à d'autres énergies... 1 600 ingénieurs réfléchissent pour nous à ces problèmes.

Takasu R & D Centre.

Ces nouvelles installations sont opérationnelles depuis peu dans le nord de l'île d'Hokkaido et ont pour mission de réaliser des tests en conditions climatiques extrêmes.

Asaka R & D Centre.

C'est plus de 1 800 employés qui travaillent dans ces installations regroupant les plus importants travaux de R & D concernant lers deux-roues.

Torrance, Californie, USA.

Honda R & D North America, Inc., possède son propre centre pour développer ses propres produits voués au marché local et parfois à l'exportation. Inauguré en 1984, ce centre, qui revendique la paternité entre autres du coupé Accord et de l'Aerodeck, emploie plus de 350 personnes.

Offenbach, Allemagne.

Honda R & D Europe GmbH, appelé aujourd'hui HRE, possède également, depuis 1984, son propre centre de R & D chargé de mieux sentir sur le terrain les tendances du marché et les caractéristiques spécifiques indispensables aux modèles importés pour la clientèle européenne.

● Honda Engineering Co., Ltd. est également installé sur les trois continents pour concevoir et fabriquer les machines utilisées dans les différentes usines locales.

Sayama, Japon.
Sayama est le quartier général de Honda Engineering. Situé à proximité de l'usine de Saitama, près de Tokyo, cette structure date de 1970 et emploie actuellement près de 3 000 personnes dans le domaine de la recherche et du développement de machines-outils et d'autres équipements de production pour les usines du groupe.

Marysville, Ohio, États-Unis.
Filiale de Honda Engineering Co., Ltd., Honda Engineering North America existe depuis 1985 et est située dans le complexe Honda de Marysville. 170 employés travaillent dans cette structure qui développe de nouveaux systèmes de production pour les usines d'Amérique du Nord, américaines et canadienne.

Swindon, Grande-Bretagne.
La société Honda Engineering Europe Ltd., emploie 18 employés qui développent de nouveaux concepts et systèmes de production adaptés à l'utilisation en Europe.

En dehors des sites de production et des infrastructures de R & D regroupées sous l'égide de quatre sociétés (Honda R & D Co., Ltd., Honda

Access Co., Ltd., Honda Engineering Co., Ltd. et Honda Racing Corporation), Honda rassemble dans son groupe diverses sociétés dont les spécialités permettent au groupe de jouir d'une autonomie totale dans l'ensemble des secteurs liés à son activité.

La recette d'une implantation réussie sur un continent consiste donc à associer obligatoirement les usines à une structure locale et autonome de R & D et une autre d'ingénierie. L'homme qui a supervisé ces implantations en Amérique du Nord et en Europe a pour nom Shojiro Miyake. Ce grand sportif, qui défendit aux Jeux olympiques de Tokyo les couleurs du Japon à la barre de son bateau de régate, est aujourd'hui le président de Honda Motor Europe Co., Ltd., appelé plus communément HME.

Rentré chez Honda en 1964, cet ancien camarade de promotion de Masaru Unno dirige aujourd'hui la filiale Honda la plus intéressante sur le plan du marketing. Si les consommateurs japonais ou américains ont des goûts relativement uniformes à l'échelon national, il n'en est pas de même pour les Européens : les mentalités sont aussi différentes d'un pays de la Communauté européenne à un autre que peuvent l'être les conditions climatiques générales ou les caractéristiques des différents réseaux routiers.

Aujourd'hui, l'Europe est la cible principale de Honda sur le plan automobile.

Le marché des deux-roues étant stagnant sinon

en forte baisse dans la plupart des pays de la CEE, Honda met tous ses efforts sur son activité autombile. Certains signes ne trompent pas comme par exemple le changement d'activité soudain de l'usine d'Alost en Belgique.

En 1962, ce fut la première usine implantée par Honda à l'extérieur du Japon, pour construire des motos et aujourd'hui elle fabrique des éléments pour les voitures assemblés dans l'usine anglaise de Swindon.

Comme Honda pense que l'on n'est jamais aussi bien servi que par soi-même, l'ensemble des sociétés de service à disposition de la société ou de la clientèle sont principalement des filiales.

Implantées au Japon, ces sociétés sont rassemblées au sein de quatre secteurs principaux.

Sur le plan commercial, la structure locale de la compagnie est composée de six entités :

— Honda international Sales Corporation (HISCO) :

Cette filiale s'occupe en particulier de la remise en état de véhicules Honda achetés d'occasion pour être revendus avec une garantie du constructeur par les concessionnaires du réseau.

— Honda Parts Sales Co., Ltd. :

Cette société gère la commercialisation des pièces détachées Honda.

— Honda Finance Co., Ltd.

— Honda Leasing Corporation :

Ces deux sociétés proposent des crédits et leasings sur mesure aux particuliers et sociétés pour financer l'acquisition des matériels Honda.

— Honda Direct Marketing Corporation :
Comme son nom l'indique, cette société se charge des opérations de marketing direct, destinées à promouvoir les produits Honda.

— Honda Parking Co., Ltd.

Dans la rubrique Transport et biens immobiliers, quatre sociétés sont réunies :

— Act Maritime Corp. :
Cette filiale possède une flotte de plus de cinq bateaux conçus spécialement pour transporter les véhicules Honda vers les autres continents.

— Honda Express, Ltd. :
Cette société est chargée d'assurer la livraison des produits Honda aux concessionnaires japonais et de l'expédition de tous types de produits de la marque.

— Komyo Co., Ltd. :
Komyo est spécialisée dans l'emballage et le conditionnement des produits pour l'exportation.

— Honda Kaihatsu Co., Ltd. :

Cette société s'occupe exclusivement de la gestion des biens immobiliers de l'ensemble du groupe Honda.

Les activités de loisirs et d'éducation routière sont regroupées par quatre autres sociétés :

— Suzuka Circuitland Co., Ltd. :

Quand Honda décida de construire le circuit de Suzuka, non loin de son usine, la société voulut réaliser un complexe de loisirs unique dans cette partie du monde. Sans vouloir imiter les parcs d'attractions Disney, Honda a réussi à construire un véritable site de loisirs.

Dans l'enceinte du circuit, on trouve un parc d'attractions, des hôtels, un bowling, le musée Honda et le Honda Driving Safety Center, véritable école de perfectionnement de conduite auto et moto.

— Honda Airways Co., Ltd. :

Soichiro Honda aimait l'aviation et il paraît normal que la compagnie possède une flotte d'appareils de tourisme et d'affaires, avions et hélicoptères. Honda Airways est à la fois école de pilotage et compagnie d'aviation pouvant assurer les déplacements les plus rapides aux cadres et ingénieurs de la société pour se rendre d'un site industriel à un autre. Tous les centres, usines ou laboratoires de R & D, du groupe possèdent leur propre terrain d'aviation où leur héliport.

L'ORGANISATION HONDA

— Rainbow Motor School Corporation :
Au pays de Soichiro Honda, on ne se contente pas de fabriquer et de vendre un produit, on apprend au consommateur à s'en servir. Quand en plus une mauvaise utilisation peut engendrer des conséquences fâcheuses, il vaut mieux apprendre à bien s'en servir !

Fort de ce principe, Honda a, dès 1962, mis en place un programme d'éducation routière sous le nom de Safety Japan. Plus qu'une simple structure de prévention routière, Safety Japan est une véritable philosophie de la vie de l'entreprise au niveau de ses rapports avec ceux qui lui font confiance en achetant ses produits.

A travers Safety Japan, Honda a pris à sa charge une tâche nationale, contribuant ainsi au mieux être de la société japonaise. Depuis plus de trente ans, Safety Japan est un succès extraordinaire au Japon. Nombreux sont les pays qui ont tenté d'imiter le concept Honda sans jamais parvenir aux mêmes résultats.

Ce n'est pas tout d'avoir les moyens de mettre en place une structure comprenant une centaine de dirigeants, 350 instructeurs, 10 000 responsables locaux et le matériel qui va avec (7 autobus, 2 cars vidéo, 2 simulateurs de conduite, 3 pistes d'éducation). Si l'effort est gouvernemental, il est donc autoritaire, alors que s'il est privé, il est volontaire. C'est ce que pensent les responsables de l'opération qui fondent leur méthode d'ensei-

gnement sur le plaisir de la conduite plus que sur
un apprentissage des choses à ne pas faire.

Jean-Claude Chemarin, ancien champion du
monde de moto, plusieurs fois vainqueur du Bol
d'or et des 24 Heures du Mans au guidon d'une
Honda, se souvient de sa première visite sur la
piste Safety Japan de Suzuka à la fin des années
70 :

« J'étais stupéfait de voir la rigueur de l'enseignement et l'intelligence des méthodes. Les élèves
avaient l'air tout heureux dans cet univers rassu-
rant où on leur demandait d'aller jusqu'à la limite
pour mieux comprendre les réactions de leur
machine. Lorsque j'ai été chargé de prendre la
direction de l'école de pilotage moto sur le circuit
du Mans, avec le concours de Honda, je me suis
parfois inspiré des méthodes de Safety Japan
quand j'ai dû enfiler mon costume d'enseignant. »

Actuellement, Jean-Claude Chemarin, outre ses
fonctions de directeur de l'école de pilotage moto
de l'ACO du Mans, est également responsable, en
collaboration avec le ministère de la Jeunesse et
des Sports et celui de l'Éducation nationale, du
premier « sport-études-motocycliste ». Cette structure permet à des jeunes talents de pouvoir
s'entraîner quotidiennement au pilotage tout en
poursuivant leurs études au lycée du Mans.

La Rainbow Motor School s'adresse, elle, à tous
ceux qui veulent se présenter à l'examen officiel du
permis de conduire dans les catégories deux ou

quatre roues. La qualité de l'enseignement est telle que de mémoire d'instructeur on ne se souvient pas qu'un élève ait pu louper son examen...

— Honda International Technical School (HITS) :
Pour tout savoir sur les engins fabriqués par Honda et pouvoir les réparer en cas de problème, il faut passer par cette école qui délivre de superbes diplômes à ses élèves les plus méritants.

En ce qui concerne la fabrication d'accessoires et d'autres éléments qui entrent dans la fabrication des produits Honda, la compagnie possède pas moins de onze sociétés sous-traitantes qui lui fournissent amortisseurs, carburateurs, moteurs électriques (pour les vitres, les pompes à essence, les toits ouvrants, etc., etc.), les sièges, les compteurs, les batteries, etc. etc. Ces compagnies sont les suivantes :
— Asama Giken Co., Ltd.
— Keihin Kikai R & D Co., Ltd.
— Zaotec Co., Ltd.
— Koan Giken Co., Ltd.
— Showa Manufacturing Co., Ltd.
— Seiki Giken Co., Ltd.
— Denshi Giken Co., Ltd.
— Honda Foundry Co., Ltd.
— Honda Lock, Ltd.
— Yutaka Giken Co., Ltd.
— Yachiyo Kogyo Co., Ltd.

Enfin, pour négocier avec les entreprises extérieures qui fournissent également des équipements nécessaires à la fabrication de véhicules (pneumatiques, lubrifiants, ampoules, etc.), Honda dispose d'une filiale spécialisée, la Honda Trading Corporation.

Quand on a pris connaissance de ce que représente « l'empire Honda », on comprend mieux ce que veut dire le mot mondialisation lorsqu'il est employé par Nobuhiko Kawamoto.

Ce qui est extraordinaire, c'est de penser que toutes ces structures sont mises en place depuis le début des activités de la société sur le plan de l'exportation, c'est-à-dire depuis le début des années 50.

Aujourd'hui, certains parlent d'envahisseurs japonais et ne trouvent comme parade commerciale que le contingentement.

Cela fait maintenant plus de trente ans que Honda organise son implantation, sans se cacher, en accord avec toutes les législations en vigueur, et les Européens se plaignent aujourd'hui de ne pas s'en être aperçus plus tôt...

ANNEXES

I

LA SAGA HONDA

Pour retracer l'histoire de Soichiro Honda et de la marque, deux calendriers sont indispensables. Tout d'abord, celui qui concerne les principaux événements de sa vie et de celle de la société, et aussi celui qui relève de l'ensemble du palmarès sportif, le plus important et le plus prestigieux réalisé par une marque à ce jour.

CHRONOLOGIE

1906 : Novembre	Naissance de Soichiro Honda.
1910 : Novembre	Naissance de Takéo Fujisawa.
1914 : Avril	Soichiro Honda fait sa rentrée des classes à l'école primaire de Yamahigashi.
1917 : Avril	Takéo Fujisawa entre à l'école primaire de Koishikawa.
1922 : Mars	Honda quitte l'école primaire pour travailler comme apprenti dans les ateliers d'Art Shokai à Tokyo.
1923 : Avril	Fujisawa entre au lycée de Keika.
1928 : Mars	Soichiro Honda crée une filiale Art Shokai à Hamamatsu. Au même moment Takéo Fujisawa quitte le lycée de Keika.

1930 : Décembre   Fujisawa s'engage comme cadet au 57ᵉ régiment d'infanterie.

1931 : Juin   Soichiro Honda dépose un brevet pour l'invention de la roue de voiture en métal.

1931 : Novembre   Fujisawa quitte l'armée.

1934 : Février   Fujisawa est engagé chez Mitsuwa Shokai.

1936 : Juillet   Soichiro Honda est gravement accidenté au cours du All Japan Speed Rally.

1937 : Février   Soichiro Honda fonde la Tokai Seiki Heavy Industry Co.

1937 : Novembre   Soichiro Honda obtient un succès incontesté en mettant au point un nouveau type de segment pour les pistons de moteurs thermiques.

1938 : Avril   Fujisawa fonde le Japan Machine and Tool Research Institute.

1941 : Mars   Soichiro Honda met au point une hélice d'avion révolutionnaire, invention pour laquelle il sera décoré comme héros national.

1942 : Février   Le constructeur automobile Toyota devient acquéreur de 40 % des parts de la société dirigée par Soichiro Honda, la Tokai Seiki Heavy Industry Co.

1945 : Février   A la fin de la guerre, Soichiro Honda cède Tokai Seiki à Toyota pour un demi-million de yens et prend une année sabbatique.

1946 : Octobre   Honda fonde une nouvelle société, la Honda Technical Research Institute, à Hamamatsu.

ANNEXES

1947 : Mars	Kyoshi Kawashima, qui deviendra le successeur du tandem Honda-Fujisawa à la présidence de Honda Motor en 1973, est engagé par Soichiro Honda.
1947 : Novembre	Mise en production du modèle Type A, cyclomoteur deux temps monocylindre de 50 cm^3.
1948 : Septembre	Création par Soichiro Honda de l'actuelle compagnie Honda Motor Co Ltd, avec un capital d'un million de yens et dont le siège social est à Hamamatsu.
1949 : Août	Production de la première motocyclette 100 p. 100 Honda, la Type D de 98 cm^3, surnommée « Dream ».
1949 : Octobre	Takéo Fujisawa intègre la Honda Motor.
1950 : Mars	Création d'une succursale à Tokyo.
1950 : Septembre	Création d'un atelier de montage à Tokyo.
1951 : Juillet	Mise au point du modèle Type E qui bat un record de vitesse dès la première sortie du prototype.
1951 : Octobre	Mise sur le marché du modèle Type E appelé « Dream-E », équipé d'un monocylindre quatre temps de 146 cm^3 et roulant à 130 km/h.
1952 : Mars	Mise en place d'une nouvelle unité de production à Shirako.
1952 : Juin	Mise sur le marché d'un cyclomoteur adoptant le principe du moteur placé sur l'axe de la roue arrière, le Cub Type F de 50 cm^3.
1953 : Mai	L'usine de Yamato rentre en service à Niikura, près de Saitama.

1953 : Juin	Les syndicats de travailleurs s'organisent dans l'entreprise.
1953 : Juillet	L'usine de Yamato est agrandie, réorganisée et appelée dorénavant « usine de Saitama ». Pendant ce temps, une nouvelle usine voit le jour à Hamamatsu, l'usine de Sumiyoshi.
1953 : Août	La sortie du Benly Type J de 90 cm^3 est annoncée.
1953 : Octobre	Le groupe moteur type H est mis sur le marché.
1953 : Décembre	Le système de prise en compte des suggestions des employés est mis en place dans la société.
1954 : Janvier	Mise en vente au comptant des actions Honda Motor à la Bourse de Tokyo.
1954 : Février	Mise en vente sur le marché japonais du scooter Juno Type K de 200 cm^3.
1954 : Mars	Participation au Grand Prix motocycliste du Brésil sur le circuit de São Paulo et annonce que Honda participera prochainement à la mythique course internationale se courant dans l'île de Man, le Tourist Trophy.
1954 : Avril	Une nouvelle unité de production, l'usine Aoi, entre en production à Hamamatsu.
1954 : Juin	Soichiro Honda fait un grand voyage d'observation en Europe pour préparer le Tourist Trophy et rencontrer les constructeurs automobiles locaux.
1954 : Septembre	Le scooter Juno arrive sur le marché américain.

ANNEXES

1955 : Avril	La motocyclette Dream SB de 350 cm^3 est introduite sur le marché japonais.
1955 : Septembre	Honda est n° 1 des ventes de motos au Japon.
1955 : Novembre	Le Honda Racing Team participe à la première édition du All Japan Motorcycle Endurance Road Race.
1956 : Janvier	Soichiro Honda fait mettre en application les principes de management de la compagnie.
1956 : Février	Honda, sûr de la qualité de ses productions, met en place un système de garantie d'une année pour les pièces et la main-d'œuvre.
1957 : Juin	Le Centre de recherche et développement de la marque s'installe à Shirako.
1957 : Septembre	Le Dream C 70, 250 cm^3, bicylindre, quatre temps, entre en production.
1957 : Octobre	Le Honda Racing Team remporte la course du mont Asama en catégorie 350 cm^3.
1957 : Décembre	Honda Motor est côtée sur le premier marché à la Bourse de Tokyo.
1958 : Août	Le 1er août 1958, lancement au Japon du modèle qui allait devenir le best-seller mondial de tous les temps dans le domaine des deux roues : le Super Cub C-100. Aujourd'hui, plus de 20 millions d'exemplaires ont été vendus.
1959 : Juin	Le Honda Racing Team participe au Tourist Trophy de l'île de Man pour la première fois et s'y classe à la sixième place en catégorie 125 cm^3. Au même

moment, American Honda Motor Co est fondé aux États-Unis. C'est la première filiale à l'étranger appartenant à 100 p. 100 à la maison mère.

1959 : Août — Rentré au Japon après son déplacement en Europe, le Honda Racing Team remporte à nouveau la course du mont Asama.

1960 : Avril — L'usine de Suzuka démarre ses activités.

1960 : Juillet — Le Centre de recherche et développement, R & D Center, devient une société totalement indépendante et prend le nom de Honda R & Co Ltd.

1960 : Novembre — Une nouvelle usine entre en activité à Saitama.

1961 : Mai — Honda s'installe en Allemagne de l'Ouest en créant European Honda GmbH, qui aujourd'hui se nomme Honda Deutschland GmbH, et se trouve toujours à Hambourg.

1961 : Juin — Honda survole le Tourist Trophy sur l'île de Man en se classant aux cinq premières places en 125 cm^3 et 250 cm^3.

1961 : Août — Pour la première fois dans l'histoire des deux-roues, une marque vend plus de 100 000 motos en un mois : Honda entre dans le *Livre des records* une première fois.

1961 : Octobre — La première usine Honda extérieure au Japon entre en service à Taiwan.

1961 : Décembre — Honda entre dans l'histoire de la compétition moto en remportant le championnat du monde des constructeurs en catégories 125 et 250 cm^3. Le petit monde fermé des grands prix motocyclistes, ceux qui composent le Continental Circus, commence à se poser des sérieuses questions sur les capacités des ingénieurs japonais...

1962 : Juin — Pour bien commencer la saison et confirmer ses résultats au championnat de l'année écoulée, le Team Honda remporte à nouveau le Tourist Trophy en 125 et 250 cm³.

1962 : Septembre — Honda Belgium est établi en Belgique pour assembler et distribuer les produits Honda en Europe.
Le Hollandais John Hugenholtz a dessiné le tracé du circuit de Suzuka dont les installations sont inaugurées par le propriétaire des lieux, Soichiro Honda.
Création de l'unité d'ingénierie Honda Koki.

1962 : Octobre — Honda se lance dans l'aventure automobile en annonçant la fabrication de deux petits quatre roues : une minicamionnette à plateau, le T360, et une petite voiture de sport décapotable, la S360.

1962 : Novembre — Le championnat japonais de moto se déroule sur le circuit de Suzuka où Honda remporte « à domicile » toutes les courses dans toutes les catégories : 50, 125, 250 et 350 cm³.

1962 : Décembre — C'est l'explosion aux États-Unis de la campagne de publicité Honda « You meet the nicest people on a Honda », créée par l'agence Grey.

1963 : Mai — L'usine d'assemblage construite à Alost en Belgique entre en phase de production.

1963 : Juin	Comme d'habitude, le Honda Racing Team commence l'année en fanfare au Tourist Trophy en remportant les victoires en 250 et 350 cm^3.
1963 : Août	Le petit pick-up T360 est mis sur le marché tout comme le cabriolet S360 devenu S500.
1963 : Septembre	Les résultats à l'exportation sont spectaculaires puisqu'ils représentent 10 milliards de yens.
1963 : Octobre	Les Super Cub C-100 et C-110 remportent le Trophée de la Mode en France, prix le plus prestigieux décerné aux deux-roues.
1963 : Novembre	Pour la première fois, le Grand Prix du Japon comptant pour le championnat du monde se déroule à Suzuka, et Honda remporte les épreuves de trois catégories : 50, 250 et 350 cm^3.
1964 : Janvier	Lors d'une interview, Soichiro Honda annonce que Honda Motor va bientôt participer aux courses de Formule 1.
1964 : Mars	La S500 devient S600, toujours sous la forme d'un joli cabriolet et désormais d'un coupé.
1964 : Juin	Comme l'année précédente, Honda gagne le Tourist Trophy en 125, 250 et 350 cm^3. Le groupe électrogène G-45 est mis sur le marché.
1964 : Juillet	Honda commence à implanter son réseau de Honda Service Factory System à travers tout le Japon.
1964 : Août	Honda engage officiellement une voiture dans un Grand Prix de F 1, en Allemagne.

1964 : Septembre	Création à Paris de Honda France SA.
1964 : Octobre	Création de Asian Honda Motor Co, Ltd.
1964 : Novembre	Entrée en production de l'usine de Sayama.
1964 : Décembre	Inauguration du Honda Service Factory System.
1965 : Février	Le cabriolet S600 est proposé à l'exportation.
1965 : Juillet	Grand événement social chez Honda où, une semaine sur deux, la semaine de cinq jours est adoptée.
1965 : Août	Première victoire sur quatre roues pour Honda, non pas en F 1, mais avec une S600, pilotée par Denny Hulme au Nürburgring en Allemagne.
1965 : Septembre	Création à Londres de Honda UK.
1965 : Octobre	Première victoire en Formule 1 au Grand Prix de Mexico.
1966 : Janvier	Mise sur le marché d'un futur succès sur quatre roues, la S800 en trois versions : coupé, cabriolet et Racing.
1966 : Avril	Honda crée des filiales de crédit pour ses clients et son réseau de vente de voitures d'occasions. Création à Bangkok de la Thai Honda Manufacturing Co Ltd.
1966 : Septembre	Honda remporte les championnats du monde moto en tant que constructeur dans toutes les catégories : 50, 125, 250, 350 et 500 cm^3 (record jamais égalé depuis par une autre marque).
1966 : Octobre	Encore un record pour Honda qui en une saison de Formule 2 remporte onze victoires consécutives.

1967 : Mars	La première voiture citadine de la marque est commercialisée, la N360, qui existera bientôt avec une boîte automatique révolutionnaire, la fameuse Hondamatic.
1967 : Septembre	La Formule 1 est passée de 1500 cm^3 à 3 litres, et Honda en profite pour monter sur le podium en remportant le Grand Prix d'Italie devant les supporters de Ferrari chauffés à blanc.
1967 : Novembre	L'usine de Suzuka est agrandie pour pouvoir démarrer la production automobile.
1968 : Février	Honda exporte les N360 et N600.
1968 : Juin	Honda développe son réseau de concessionnaires spécialisés exclusifs.
1968 : Juillet	En Formule 1, Honda s'affirme en terminant deuxième du Grand Prix de France.
1968 : Août	Honda signe un contrat concernant les transferts de technologie avec des industriels fabriquant des deux-roues au Mexique et en Espagne.
1968 : Octobre	La voiture Honda 1300 au moteur refroidi par air est mise sur le marché.
1969 : Février	Création à Melbourne de Honda Australia Ptg Ltd.
1969 : Mars	Création à Toronto de Canadian Honda Motor Ltd, aujourd'hui appelée « Honda Canada Inc ».
1969 : Avril	Lancement mondial de la fameuse Honda CB 750 Four : la référence en matière de moto quatre cylindres face à la route dont la mécanique rappelle le moteur de la voiture Honda S800.

1969 : Mai	Honda lance sur le marché japonais une nouvelle version de la voiture 1300, la Sedan.
1969 : Novembre	Le mini pick-up TN 360 est commercialisé dans une version « neige » comportant des chenilles en guise de roues arrière.
1970 : Mars	Création du premier Honda Idea Contest sur le circuit de Suzuka. Commercialisation aux États-Unis de la minivoiture N600 équipée de la boîte Hondamatic à trois rapports.
1970 : Juillet	Honda fête la cinq millionième moto exportée. Honda introduit ses voitures en Italie.
1970 : Août	Honda inaugure un centre de mesure de pollution.
1970 : Septembre	Création de Honda Engineering Co Ltd. Honda fête la N360 qui vient d'être produite à un million d'exemplaires. Soichiro Honda est honoré et décoré par la US National Safety Council.
1970 : Octobre	Honda USA offre 10 000 patinettes aux YMCA pour créer des écoles de prévention routière. Fondation de Honda Driving Safety Promotion Center.
1971 : Février	Honda annonce le prochain lancement du moteur antipollution CVCC, le premier qui réponde aux normes fixées par le Clean Air Act qui doit prendre effet en 1975.
1971 : Juin	Honda inaugure une usine produisant des deux-roues au Mexique.

	Mise sur le marché de la Life, minivoiture à refroidissement liquide.
1971 : Novembre	Création à São Paulo de Honda Motor do Brazil Ltd.
1971 : Décembre	Mise sur le marché de la minivoiture Z360 à moteur refroidi par eau.
1972 : Juillet	La semaine de cinq jours de travail est instaurée dans toutes les usines Honda. Lancement de la Civic 1200 équipée aux États-Unis de la culasse CVCC.
1972 : Décembre	Exportation de la Honda Civic.
1973 : Juillet	Honda signe un contrat de licence avec Ford pour que la compagnie américaine puisse utiliser le procédé CVCC pour ses modèles. Création à Jakarta de la filiale indonésienne PT Honda Federal Inc.
1973 : Septembre	Honda signe deux nouveaux contrats de licence avec les firmes Isuzu et Chrysler pour que ces constructeurs puissent bénéficier du système CVCC.
1973 : Octobre	Soichiro Honda et Takéo Fujisawa annoncent leur départ à la retraite et deviennent Supreme Advisors de la société. Kiyoshi Kawashima devient président de Honda Motor Co Ltd. Le circuit de Suzuka accueille le premier festival motocycliste national.
1973 : Décembre	Lancement de la Civic 1500 en version deux et quatre portes avec option culasse CVCC.
1974 : Mars	Création à Genève de Honda Automobiles (Suisse).

1974 : Mai	Accord de partenariat technique signé avec la compagnie Strandard en Yougoslavie. PT Honda Federal fabrique en Malaisie des pièces détachées. C'est la première unité de ce type en dehors du Japon.
1974 : Juillet	Création à Lima de Honda del Peru SA.
1974 : Septembre	Création de l'International Association of Traffic and Safety Sciences (IATSS).
1974 : Octobre	Arrêt de la fabrication des gammes de minivoitures N, Z et Life. Lancement de la moto Gold Wing GL 1000 équipée d'un quatre cylindres à plat.
1975 : Juin	Mise en place par la marque du système intégré de vente à crédit, le Honda Credit System.
1975 : Juillet	Création au Brésil de la société Moto Honda da Amazonia.
1976 : Janvier	L'usine japonaise de Kumamoto est mise en service à 100 p. 100.
1976 : Février	Commercialisation de l'ingénieux cyclomoteur NC-50 Roadpal surnommé « Honda Express » à l'exportation.
1976 : Avril	La Honda Civic est assemblée et distribuée en Nouvelle-Zélande.
1976 : Mai	Le lancement de la nouvelle Honda Accord est annoncé.
1976 : Juillet	La Civic atteint le million d'exemplaires en moins de quatre ans de commercialisation.
1976 : Septembre	Le pilote français Jean-Claude Chemarin, associé au Britannique Alex Georges, remporte le Bol d'or, la plus

	importante course d'endurance mondiale d'une durée de vingt-quatre heures.
1977 : Janvier	La fabrication de deux-roues démarre au Brésil dans l'usine de Manaus.
1977 : Mars	La Civic CVCC remporte le premier prix au concours d'économie de consommation des agences américaines EPA (Environmental Protection Agency) et FEA (Federal Energy Administration).
1977 : Octobre	Honda annonce la création d'une usine de motocyclettes aux États-Unis dans l'Ohio.
1977 : Décembre	Soichiro Honda annonce la création de la fondation Honda.
1978 : Février	Création d'un centre de distribution européen à Gand en Belgique.
1978 : Mars	Création de Honda of America Mfg Inc, qui devra gérer l'usine créée dans l'Ohio.
1978 : Novembre	Lancement sur le marché international du premier coupé Prélude.
1979 : Avril	Le centre d'essai de Tochigi est opérationnel.
1979 : Mai	Création du centre de R & D d'Asaka East.
1979 : Août	Honda remporte le titre de champion du monde des constructeurs en catégorie motocross 500 cm^3.
1979 : Septembre	Mise en route de l'usine Honda américaine dans l'Ohio.
1979 : Octobre	Lancement de la Honda Gl-1100 réservée à l'exportation car la commercialisation des motos à la cylindrée égale ou

supérieure à 1 000 cm^3 est interdite au Japon, à cette époque.

1979 : Décembre — Signature d'un accord de collaboration avec le groupe British Leyland (Triumph, Rover, Austin, etc.).

1980 : Janvier — Annonce qu'une usine automobile viendra compléter la structure américaine dans l'Ohio.

1980 : Février — Mise sur le marché des modèles Quint et Quintet.

1980 : Août — Lancement de la Ballade.

1980 : Septembre — Lancement du scooter Tact.

1980 : Décembre — Les motoculteurs cumulent un total de vente d'un million d'unités.

1981 : Janvier — Le cumul de la production des groupes électrogènes atteint 14,5 millions d'unités.

1981 : Mars — Honda remporte le chàmpionnat européen de Formule 2.

1981 : Septembre — Lancement du modèle automobile Vigor.

1981 : Novembre — Lancement de la minivoiture City appelée « Jazz » en Europe.

1981 : Décembre — Honda signe un accord de collaboration technique pour la production de deux-roues en Chine populaire.

1982 : Janvier — Honda remporte le rallye Paris-Dakar avec un modèle XL500R.

1982 : Avril — Signature d'un contrat de collaboration technique avec les cycles Peugeot en France. Les scooters Peugeot « made in France » sont équipés de moteurs Honda...

1982 : Novembre	Sortie de l'usine américaine de la première Honda Accord « made in USA ».
1983 : Avril	Honda signe un contrat pour développer un projet automobile commun appelé « XX » avec Austin Rover. Le Super Cub dépasse les 15 millions d'unités vendues. La production des « allied products » (générateurs, motoculteurs, motopompes, etc.) dépasse en cumulé les 7 millions d'unités.
1983 : Juillet	Après quinze ans d'absence Honda revient à la Formule 1 en engageant une voiture au Grand Prix de Silverstone. Le coupé sportif CRX est annoncé.
1983 : Août	Une nouvelle usine est implantée aux États-Unis en Caroline du Nord.
1983 : Septembre	Création à Bangkok de Honda Cars Thailand Co Ltd pour assurer la distribution des voitures Honda et leur service après-vente en Thaïlande. Honda devient champion du monde des constructeurs moto en remportant le championnat 500 cm^3 grâce à la NS500. Honda signe un protocole de collaboration technique avec la Chine populaire. Le président Kawashima laisse sa place à Tadashi Kume et devient Advisor de la société, auprès de Soichiro Honda et Kawamoto les Supreme Advisors.
1983 : Décembre	Les modèles Civic et Ballade sont nommés « Voitures de l'année » en 1983 et 1984.
1984 : Janvier	Signature d'un contrat de coproduction avec la marque indienne Hero Cycles Put Ltd.

ANNEXES

1984 : Avril	Création à Singapour d'une école de conduite (Safe Driving Center).
1984 : Mai	L'usine américaine de voiture atteint une production quotidienne de 600 unités.
1984 : Juin	En Formule 2, la monoplace Ralt-Honda établit un nouveau record en alignant douze victoires à la suite.
1984 : Juillet	Au volant de sa Williams-Honda, Kéké Rosberg fait renouer Honda avec la victoire depuis son retour en Formule 1 en remportant le Grand Prix de Dallas.
1984 : Août	L'usine américaine HPE démarre la production de tondeuses à gazon.
1984 : Septembre	La filiale Honda Research of America est créée aux États-Unis.
1984 : Décembre	Un contrat de collaboration technique est signé avec la compagnie chinoise Shangai-Yinchu Motor Co Ltd.
1985 : Février	Annonce à la presse automobile de la sortie imminente d'un nouveau modèle : l'Integra.
1985 : Juillet	La production totale cumulée des « power products » (groupes électrogènes, motoculteurs, motopompes, etc.) atteint les 10 millions d'exemplaires.
1985 : Août	Inauguration à Tokyo du nouveau siège social sur Aoyama, les Champs-Élysées de Tokyo, face au palais impérial. Les anciens bureaux de Yaesu sont conservés et sont, entre autres, le siège de la fondation et le bureau de Soichiro Honda, Kume, Kawashima et des anciens directeurs de la société.

	Honda remporte le championnat du monde moto en 250 et 500 cm^3.
1985 : Septembre	Création de la société Honda de Mexico. Annonce à la presse automobile de la future mise sur le marché de la mini-compacte Today.
1985 : Novembre	Honda annonce la sortie d'une limousine de prestige : la Legend.
1985 : Décembre	Les séries Accord et Vigor remportent le titre de « Japanese car of the year 1985-1986 ».
1986 : Janvier	Williams-Honda remporte le Grand Prix du Brésil de F 1, ce qui est la quatrième victoire consécutive dans le championnat 1985. Honda remporte le Rallye Paris-Dakar en trustant les trois premières places du classement moto avec les modèles NXR750 et XT600R.
1986 : Février	Début de la production de tondeuses à gazon dans l'usine Honda France Industrie à Orléans.
1986 : Mars	Création d'un club de motards, le Hart, rassemblant les enthousiastes de la pratique moto. Mise en place d'un réseau de concessionnaires distribuant certains modèles de haut de gamme Honda aux États-Unis sous le nom d'Acura.
1986 : Avril	Contrat signé avec le groupe Austin Rover de British Leyland Ltd pour la fabrication en Angleterre de la Honda Ballade et de sa « cousine » sous la marque Triumph.

1986 : Mai	L'ensemble des installations de l'usine japonaise de Mohka fabriquant les pièces détachées est opérationnel à 100 p. 100.
1986 : Juillet	Fusion de Montesa Honda et du spécialiste mondial de motos de trial espagnol Motociccleta Montesa of Spain.
1986 : Août	Honda remporte la première place dans les résultats de l'enquête américaine d'indice de satisfaction des automobilistes.
1986 : Septembre	La production de la série automobile Accord atteint en cumulé 3 millions d'exemplaires.
1986 : Octobre	La mise sur le marché de modèles automobiles à 4 roues directrices (4WS) est annoncée à la presse.
1986 : Novembre	La société Honda of Canada démarre la production automobile avec la mise en place d'une usine fabriquant des Accord.
1986 : Décembre	Honda et le groupe Austin-Rover signent un accord de partenariat pour créer et fabriquer un modèle commun original de voiture de classe moyenne sous le nom de code de projet YY.
1987 : Janvier	La production de moteurs automobiles devient effective aux États-Unis. Annonce de l'équipement de certains modèles de la gamme automobile de l'air-bag en option ou en série.
1987 : Février	Présentation de la quatrième génération de Civic. Une usine produisant des moteurs pour tous usages (motopompes, moteurs sta-

tionnaires, compresseurs, etc.) est opérationnelle en Thaïlande.

1987 : Avril   Un accord de production en commun d'automobiles et de fabrication commune de moteurs est signé avec le groupe Austin-Rover.

1987 : Juin   Annonce de la mise en fabrication d'une moto Goldwing nouvelle génération équipée d'un moteur six cylindres opposés à plat de 1500 cm^3 de cylindrée.

1987 : Juillet   La motocyclette de cross NS125R fabriquée en Italie est exportée vers... le Japon.

1987 : Août   La gamme Acura termine première et la gamme Honda deuxième de l'enquête destinée à déterminer l'indice de satisfaction des automobilistes américains.

1987 : Novembre   Le Team Williams-Honda remporte le titre de champion du monde des constructeurs en Formule 1 et Nelson Piquet le titre de champion du monde des pilotes.
La production de Civic dépasse 5 millions d'exemplaires.

1988 : Mars   Le Japon importe de l'usine Honda américaine des Goldwing GL 1500.

1988 : Avril   Les coupés Accord fabriqués aux États-Unis sont exportés vers le Japon.

1988 : Juin   La quatre portes de taille moyenne dénommée « Concerto » est annoncée à la presse.
La production cumulée de l'ensemble des automobiles Honda dépasse 15 millions d'unités.

ANNEXES

La production de moteurs diesel pour les Allied Products démarre avec deux modèles : GD320 et GD410.

1988 : Août La gamme Acura remporte pour la deuxième année consécutive le premier prix au sondage permettant d'attribuer les indices de satisfaction des automobilistes américains.

1988 : Novembre Le Team Mc Laren-Honda remporte le championnat du monde des constructeurs en F 1 et Ayrton Senna, en remportant le Grand Prix du Japon sur le circuit de Suzuka, devient champion du monde des pilotes.

1989 : Janvier Honda introduit sur certains de ses modèles le système TCS (Traction Control System) qui a une fonction de contrôle permanent de la motricité et une fonction d'antipatinage.

1989 : Février Présentation au Chicago Auto Show du prototype de voiture de sport NSX.

1989 : Avril Mise sur le marché d'automobiles équipées de culasses à rapidité de mouvement de soupapes variable et d'un nouveau système de gestion électronique.

1989 : Septembre Mise sur le marché d'une nouvelle génération de la gamme Accord.

1989 : Octobre Le fondateur de la marque, Soichiro Honda, est intronisé dans le Automotive Hall of Fame aux États-Unis. Ce musée américain consacre une exposition sur la vie de Soichiro Honda et expose depuis des modèles Honda. Ce qui est exceptionnel dans ce musée consacré aux constructeurs américains.

	Honda Motor Europe Ltd, située en Grande-Bretagne près de Londres, est reconnue comme étant la structure assurant la direction européenne de la société.
1989 : Novembre	L'écurie Mc Laren-Honda remporte à nouveau le doublé gagnant en Formule 1 avec le titre de champion du monde des constructeurs et celui des conducteurs grâce à Alain Prost.
1989 : Décembre	La nouvelle usine américaine East Liberty, située dans l'Ohio, démarre la production de Civic.
1990 : Février	Le magazine *Automotive Industries* nomme le président de Honda, Tadashi Kume, homme de l'année 1990.
1990 : Mars	Honda introduit sur les modèles vendus au Japon un système de navigation permettant aux conducteurs de recevoir des indications concernant la circulation grâce à un mini-écran couleur et à une balise localisant le véhicule à tout instant.
1990 : Avril	Un accord concernant le partage des actions et titres de la nouvelle entité créée en Grande-Bretagne est signé par les deux actionnaires, Honda et Rover Group Ltd. Annonce de l'équipement de certains modèles d'un nouveau système de prétension de ceintures de sécurité et d'airbag côté passager avant.
1990 : Juin	Le président Tadashi Kume devient Advisor de la société et laisse la place de

président et de CEO à Nobuhiko Kawamoto.

1990 : Juillet   Pour la quatrième année consécutive, la gamme Acura remporte le premier prix à l'indice de satisfaction des conducteurs américains.

1990 : Août   La Honda NSX est exportée aux États-Unis.

La filiale Honda Automobile Italia SPA est inaugurée en Italie.

1990 : Octobre   Pour la cinquième année consécutive, Honda remporte le titre de champion du monde des constructeurs de Formule 1 (deux fois sur châssis Williams et trois fois avec Mc Laren).

Ayrton Senna remporte, lui, le titre de champion du monde des pilotes.

La nouvelle gamme Legend est introduite sur le marché.

1990 : Novembre   Le véhicule à énergie solaire baptisé « Dream », en hommage au nom donné par Soichiro Honda à sa première machine, termine deuxième du World Solar Challenge 1990.

1990 : Décembre   Sous les lambris dorés des salons de la FISA à l'Automobile-Club, place de la Concorde à Paris, Soichiro Honda est décoré de la médaille d'or de la FISA, remise par Jean-Marie Balestre, président de la Fédération internationale de sport automobile. Avant lui, seul Enzo Ferrari avait reçu cette distinction exceptionnelle.

Le très réussi break Accord est introduit sur le marché par son fabricant, American Honda Motor.

1991 : Janvier	Le nouveau coupé Legend est lancé sur le marché mondial.
1991 : Février	La production de moteurs dans les usines américaines dépasse un million d'unités en cumulé.
1991 : Mars	American Honda Motor exporte le break Accord vers l'Europe et le Japon.
1991 : Avril	Création au Japon de Honda Parking Co Ltd.
1991 : Mai	Lancement sur le marché japonais d'une minivoiture décapotable à deux places : la Beat.
1991 : Juin	Honda signe un contrat de distribution automobile pour la vente de ses modèles en Tchécoslovaquie avec la société Fintraco.
1991 : Juillet	Honda équipe quelques modèles de sa gamme du nouveau système électronique d'injection VTEC-E.
1991 : Août	Le 5 août, Soichiro Honda disparaît à l'âge de quatre-vingt-quatre ans. Honda Cars Thailand Co Ltd annonce l'extension de ses installations pour la production d'automobiles.
1991 : Septembre	La nouvelle gamme Civic est annoncée (cinquième génération) en même temps que le nouveau coupé Prelude (troisième génération) équipé du système 4WS (4 roues directrices).
1992 : Février	Lancement du nouveau coupé découvrable CRX.
1992 : Septembre	Kawamoto annonce le retrait de Honda du monde de la F 1. Honda n'est pas totalement absent de la F 1 par la pré-

ANNEXES

sence de Mugen-Honda dirigé par l'un des fils de Soichiro Honda : Hirotoshi Honda.

Mise sur le marché de la nouvelle moto CB1 alias Big-one dans la gamme des motos « Basics ».

1992 : Octobre — Présentation au Salon motonautique américain du nouveau moteur hors-bord de 100 chevaux.

Première sortie de chaîne en présence du président Kawamoto d'une Honda Accord made in Europe dans la nouvelle usine de Swindon en Grande-Bretagne.

1992 : Décembre — Lancement de la Domani, voiture moyenne remplaçant la Concerto.

1993 : Février — Honda confirme sa participation aux épreuves américaines du championnat Indy avec des monoplaces mises au point et engagées par la filiale US Acura.

LES RÉSULTATS SPORTIFS

D'après l'ensemble des documents archivés à la FISA, pour la compétition automobile, et ceux recensés à la Fédération française de motocyclisme, il me faudrait encore plus de mille pages si je voulais recenser l'ensemble des épreuves de sports mécaniques remportés par Honda depuis la fin des années cinquante.

C'est pour cette raison que je n'ai voulu conserver ici que les plus significatives dans les principales catégories, tant en automobile qu'en deux-roues.

N'oubliant pas que Honda a démarré la compétition avec des motos de vitesse puis d'endurance, nous nous limiterons à ces catégories pour les résultats les plus complets.

Pour l'automobile, seule la Formule 1 retiendra notre attention pour ce qui concerne les événements les plus marquants de la réussite de Honda sur quatre roues.

1. LES GRANDES HEURES
DE LA COMPÉTITION MOTO

Dès 1953, Soichiro Honda engagea ses premiers prototypes de motos de compétition dans des épreuves japonaises. Il valait mieux tester ces motos à domicile au lieu d'aller se roder au milieu des équipes performantes sur les circuits occidentaux.

ANNEXES

Après quelques courses durant lesquelles les Honda ne furent pas ridicules, Soichiro Honda décida d'aller se frotter aux équipes du Continental Circus dès 1954 en envoyant le Honda Racing Team disputer le Grand Prix du Brésil sur le circuit de São Paulo.

Les Hondamen firent de la figuration mais cette participation fut riche d'enseignement pour tous les membres de l'équipe qui avaient fait ce premier déplacement en dehors de leurs frontières.

Six mois plus tard, Soichiro Honda se rendit sur l'île de Man pour assister au Tourist Trophy, épreuve mythique s'il en est, qui durant une semaine réunit tout le gratin de la compétition moto.

Au large du port de Liverpool, où pour l'instant les quatre futurs « Beatles » sont encore en culottes courtes sur les bancs de l'école, l'île de Man est le théâtre annuel de cette grande fête de la moto qui attire plusieurs milliers de spectateurs qui s'installent au bord des 62 kilomètres de routes formant le tracé de ce circuit routier unique en son genre.

En respirant cette ambiance, Soichiro Honda comprit qu'une victoire au Tourist Trophy serait le détonateur médiatique et commercial pour sa marque. Après deux participations malchanceuses en 1959 et 1960, c'est finalement le 12 juin 1961 que le légendaire Mike Hailwood inscrivit le nom de Honda en lettres d'or au palmarès du Tourist Trophy en remportant l'épreuve en 125 cm^3 dans la matinée et en 250 cm^3 l'après-midi venue.

Ces deux victoires confirment une saison 1961 extraordinaire qui vit Honda remporter le Championnat du monde motocycliste en 125 cm^3 grâce à Phillis et en réalisant un record toujours inégalé en remportant les cinq premières places du championnat 250 cm^3 avec, dans l'ordre, Hailwood, Phillis, Redman, Takahashi et Mc Intyre. En 1962, les Hondamen remportaient à nouveau les championnats 125 cm^3 et 250 cm^3, et gagnaient également en 350 cm^3.

MONSIEUR HONDA

Cette même année, un moteur 250 cm^3 4 cylindres Honda devait également obtenir deux records du monde monté sur le side-car du pilote suisse Florian Camathias. Le 4 décembre 1962, Camathias battait le record de l'heure en parcourant 173, 037 kilomètres et celui des cent kilomètres en 31'14"2, à la moyenne de 192 km/heure.

Pendant encore cinq années, les Honda vont truster les victoires de Grand Prix en Grand Prix démontrant avec insolence la supériorité des mécaniques inventées par l'équipe d'ingénieurs de Soichiro Honda.

Les moteurs les plus fous firent leur apparition sur les circuits et les pilotes du team Honda avaient parfois du mal à dompter ces chevaux des plus nerveux...

Mike Hailwood arrivait avec tellement de difficulté à maîtriser les presque 90 chevaux de sa 500 cm^3, que cette dernière délivrait à 13 000 tours/minute, qu'il décidait de bricoler en secret un cadre plus rigide que celui fourni par Honda.

Le 20 février 1968, Honda Motor annonce officiellement qu'il se retire de la compétition moto afin de concentrer ses efforts sur le Championnat du monde de Formule 1.

En neuf saisons, Honda a remporté cent trente-neuf victoires en Grand Prix et dix-huit titres de champion du monde.

A lui seul Mike Hailwood, surnommé « Mike the Bike », avait remporté 9 titres de champion du monde.

En 1968, pour ne pas le voir chevaucher une machine d'une marque concurrente en l'auréolant de son titre mondial, Honda lui proposa une année sabbatique « rémunérée »... Mike accepta !

Voici le rappel des victoires et des titres remportés par la marque dans le Championnat du monde de vitesse.

ANNEXES

VITESSE

Les 18 titres de Honda en tant que champion du monde des constructeurs de 1961 à 1967 :

Honda		Cylindres
50 cm³	1965	2
	1966	2
125 cm³	1961	2
	1962	2
	1964	4
	1966	5
250 cm³	1961	4
	1962	4
	1963	4
	1966	6
	1967	6
350 cm³	1962	4
	1963	4
	1964	4
	1965	4
	1966	4
	1967	6
500 cm³	1966	4

Les titres de champions du monde des pilotes :

1961	125 cm³	Phillis
	250 cm³	Hailwood
1962	125 cm³	Taveri
	250 cm³	Redman
	350 cm³	Redman
1963	250 cm³	Redman
	350 cm³	Redman
1964	125 cm³	Taveri
	350 cm³	Redman
1965	50 cm³	Bryans
	350 cm³	Redman

MONSIEUR HONDA

1966 125 cm^3 Taveri
250 cm^3 Hailwood
350 cm^3 Hailwood
1967 250 cm^3 Hailwood
350 cm^3 Hailwood

LES 139 GRANDS PRIX
REMPORTÉS PAR HONDA DE 1961 À 1967

1961 — 18 Grands Prix remportés par Honda :
8 en 125 cm^3 : T.T. (Hailwood) ; France (Phillis) ;
Hollande (Phillis) ; Belgique (Taveri) ; Ulster (Takahashi) ; Espagne (Phillis) ; Suisse (Taveri) ; Argentine (Phillis).
10 en 250 cm^3 : Italie (Redman) ; T.T. (Hailwood) ; France (Phillis) ; Allemagne (Takahashi) ;
Hollande (Hailwood) ; Belgique (Redman) ; Ulster (Mc Intyre) ; Suisse (Hailwood) ; RDA (Hailwood) ; Argentine (Phillis).

1962 — 25 Grands Prix remportés par Honda :
1 en 50 cm^3 : Japon (Taveri).
10 en 125 cm^3 : Italie (Tanaka) ; T.T. (Taveri) ;
France (Takahashi) ; RFA (Taveri) ; Hollande (Taveri) ; Belgique (Taveri) ; Ulster (Taveri) ; Espagne (Takahashi) ; RDA (Taveri) ; Finlande (Redman).
9 en 250 cm^3 : Italie (Redman) ; T.T. (Minter) ;
France (Redman) ; Hollande (Redman) ; Belgique (Mc Intyre) ; Ulster (Robb) ; Espagne (Redman) ;
RDA (Redman).
5 en 350 cm^3 : Italie (Redman) ; Hollande (Redman) ; Ulster (Redman) ; RDA (Redman) ; Finlande (Robb).

ANNEXES

1963 — 14 Grands Prix remportés par Honda :
1 en 50 cm³ : Japon (Taveri).
3 en 125 cm³ : Italie (Taveri) ; Espagne (Taveri) ;
Argentine (Redman).
4 en 250 cm³ : T.T. (Redman) ; Hollande (Redman) ; Ulster (Redman) ; Japon (Redman).
6 en 350 cm³ : Italie (Redman) ; T.T. (Redman) ;
RFA (Redman) ; Hollande (Redman) ; Ulster
(Redman) ; Japon (Redman).

1964 — 21 Grands Prix remportés par Honda :
3 en 50 cm³ : RFA (Bryans) ; Hollande (Bryans) ;
Belgique (Bryans).
7 en 125 cm³ : Italie (Taveri) ; T.T. (Taveri) ;
France (Taveri) ; RFA (Redman) ; Hollande (Redman) ; Espagne (Taveri) ; Finlande (Taveri).
3 en 250 cm³ : T.T. (Redman) ; Hollande (Redman) ; Japon (Redman).
8 en 350 cm³ : Italie (Redman) ; T.T. (Redman) ;
RFA (Redman) ; Hollande (Redman) ; Ulster
(Redman) ; RDA (Redman) ; Finlande (Redman) ;
Japon (Redman).

1965 — 13 Grands Prix remportés par Honda :
5 en 50 cm³ : T.T. (Taveri) ; France (Bryans) ;
RFA (Bryans) ; Hollande (Bryans) ; Japon (Taveri).
4 en 250 cm³ : T.T. (Redman) ; Belgique (Redman) ; RDA (Redman) ; Japon (Hailwood).
4 en 350 cm³ : T.T. (Redman) ; Hollande (Redman) ; RDA (Redman) ; Tchécoslovaquie
(Redman).

1966 — 29 Grands Prix remportés par Honda :
3 en 50 cm³ : T.T. (Bryans) ; Hollande (Taveri) ;
Espagne (Taveri).
5 en 125 cm³ : Italie (Taveri) ; RFA (Taveri) ;

MONSIEUR HONDA

Ulster (Taveri) ; RDA (Taveri) ; Tchécoslovaquie (Taveri).

10 en 250 cm³ : Italie (Hailwood) ; T.T. (Hailwood) ; France (Hailwood) ; RFA (Hailwood) ; Hollande (Hailwood) ; Belgique (Hailwood) ; Espagne (Hailwood) ; RDA (Hailwood) ; Finlande (Hailwood) ; Tchécoslovaquie (Hailwood).

6 en 350 cm³ : France (Hailwood) ; RFA (Hailwood) ; Hollande (Hailwood) ; Ulster (Hailwood) ; Finlande (Hailwood) ; Tchécoslovaquie (Hailwood).

5 en 500 cm³ : T.T. (Hailwood) ; RFA (Redman) ; Hollande (Redman) ; Ulster (Hailwood) ; Tchécoslovaquie (Hailwood).

1967 — 19 Grands Prix remportés par Honda :
7 en 250 cm³ : T.T. (Hailwood) ; RFA (Bryans) ; Hollande (Hailwood) ; Japon (Bryans) ; Canada (Hailwood).

7 en 350 cm³ : Italie (Bryans) ; T.T. (Hailwood) ; RFA (Hailwood) ; Hollande (Hailwood) ; RDA (Hailwood) ; Japon (Hailwood) ; Tchécoslovaquie (Hailwood).

5 en 500 cm³ : T.T. (Hailwood) ; Hollande (Hailwood) ; Ulster (Hailwood) ; Tchécoslovaquie (Hailwood) ; Canada (Hailwood).

LES PILOTES HONDA CHAMPIONS DU MONDE DE 1961 À 1967

Redman, 6 titres : 1962 (250 cm³ et 350 cm³)
1963 (250 cm³ et 350 cm³)
1964 (350 cm³)
1965 (350 cm³)

Hailwood, 5 titres : 1961 (250 cm³)
1966 (250 cm³ et 350 cm³)
1967 (250 cm³ et 350 cm³)

ANNEXES

Taveri, 3 titres :   1962 (125 cm³)
                        1964 (125 cm³)
                        1966 (125 cm³)
Bryans, 1 titre :   1965 (50 cm³)
Phillis, 1 titre :   1961 (125 cm³)

LES 139 SUCCÈS EN GRAND PRIX
DES PILOTES HONDA DE 1961 À 1967

Redman, 46 victoires :   2 en 1961 (250 cm³)
                           11 en 1962 (1 en 125 cm³
                                       6 en 250 cm³
                                       4 en 350 cm³)
                           11 en 1963 (1 en 125 cm³
                                       4 en 250 cm³
                                       6 en 350 cm³)
                           13 en 1964 (2 en 125 cm³
                                       3 en 250 cm³
                                       8 en 350 cm³)
                            7 en 1965 (3 en 250 cm³
                                       4 en 350 cm³)
                            2 en 1966 (2 en 500 cm³)
                           16 en 1967 (5 en 250 cm³
                                       6 en 350 cm³
                                       5 en 500 cm³)

Hailwood, 41 victoires : 5 en 1961 (1 en 125 cm³
                                       4 en 250 cm³)
                            1 en 1965 (1 en 250 cm³)
                           19 en 1966 (10 en 250 cm³
                                        6 en 250 cm³
                                        5 en 500 cm³)

Taveri, 26 victoires :   2 en 1961 (125 cm³)
                            7 en 1962 (1 en 50 cm³
                                       6 en 125 cm³)

309

	3 en 1963 (1 en 50 cm^3
	2 en 125 cm^3)
	5 en 1964 (5 en 125 cm^3)
	2 en 1965 (2 en 50 cm^3)
	7 en 1966 (2 en 50 cm^3
	5 en 125 cm^3)
Bryans, 10 victoires :	3 en 1964 (50 cm^3)
	3 en 1965 (50 cm^3)
	1 en 1966 (50 cm^3)
	3 en 1967 (2 en 250 cm^3
	1 en 350 cm^3)
Phillis, 6 victoires :	6 en 1961 (4 en 125 cm^3
	2 en 250 cm^3)
Takahashi, 4 victoires :	2 en 1961 (125 cm^3
	250 cm^3)
	2 en 1962 (125 cm^3)
MC Intyre, 2 victoires :	1 en 1961 (250 cm^3)
	1 en 1962 (250 cm^3)
Robb, 2 victoires :	2 en 1962 (250 cm^3
	350 cm^3)
Minter, 1 victoire :	1962 (125 cm^3)
Tanaka, 1 victoire :	1962 (250 cm^3)

CLASSEMENT DES PILOTES HONDA
DANS LES DIVERS CHAMPIONNATS DU MONDE
DE 1961 À 1967

CATÉGORIE 50 CM^3

Années	Premier	Deuxième	Troisième	Quatrième	Cinquième
1962	Degner	Anscheidt	● Taveri	Huberts	Itoh
	(Suzuki)	(Kreidler)	(Honda)	(Kreidler)	(Suzuki)
1964	Anderson	● Bryans	Anscheidt	Morishita	Itoh
	(Suzuki)	(Honda)	(Kreidler)	(Suzuki)	(Suzuki)

310

ANNEXES

1965	• Bryans	• Taveri	Anderson	Degner	Itoh
	(Honda)	(Honda)	(Suzuki)	(Suzuki)	(Suzuki)
1966	Anscheidt	• Bryans	• Taveri	Anderson	Katayama
	(Suzuki)	(Honda)	Honda	(Suzuki)	(Suzuki)

CATÉGORIE 125 CM³

Années	Premier	Deuxième	Troisième	Quatrième	Cinquième
1961	• Phillis	Degner	• Taveri	• Redman	• Takahashi
	(Honda)	(MZ)	(Honda)	(Honda)	(Honda)
1962	• Taveri	• Redman	• Robb	• Takahashi	Hailwood
	(Honda)	(Honda)	(Honda)	(Honda)	(EMC)
1963	Anderson	• Taveri	• Redman	Perris	Schneider
	(Suzuki)	(Honda)	(Honda)	(Suzuki)	(Suzuki)
1964	• Taveri	• Redman	Anderson	Schneider	• Bryans
	(Honda)	(Honda)	(Suzuki)	(Suzuki)	(Honda)
1965	Anderson	Perris	Woodman	Degner	• Taveri
	(Suzuki)	(Suzuki)	(MZ)	(Suzuki)	(Honda)
1966	• Taveri	Ivy	• Bryans	Read	Anderson
	(Honda)	(Yamaha)	(Honda)	(Yamaha)	(Suzuki)

CATÉGORIE 250 CM³

Années	Premier	Deuxième	Troisième	Quatrième	Cinquième
1960	Ubbiali	Hocking	Taveri	• Redman	Hailwood
	(MV Agusta)	(MV Agusta)	(MV Agusta)	(Honda)	(Ducati)
1961	• Hailwood	• Phillis	• Redman	• Takahashi	• Mc Intyre
	(Honda)	(Honda)	(Honda)	(Honda)	(Honda)
1962	• Redman	• Mc Intyre	Wheeler	• Phillis	Provini
	(Honda)	(Honda)	(Guzzi)	(Honda)	(Morini)
1963	• Redman	Provini	Ito	• Robb	• Taveri
	(Honda)	(Morini)	(Yamaha)	(Honda)	(Honda)
1964	Read	• Redman	Shepherd	Duff	Provini
	(Yamaha)	(Honda)	(MZ)	(Yamaha)	(Benelli)
1965	Read	Duff	• Redman	Rosner	Woodman
	(Yamaha)	(Yamaha)	(Honda)	(MZ)	(MZ)
1966	• Hailwood	Read	• Redman	Rosner	Woodman
	(Honda)	(Yamaha)	(Honda)	(MZ)	(MZ)
1967	• Hailwood	Read	Ivy	• Bryans	Woodman
	(Honda)	(Yamaha)	(Yamaha)	(Honda)	(MZ)

MONSIEUR HONDA

CATÉGORIE 350 CM³

Années	Premier	Deuxième	Troisième	Quatrième	Cinquième
1962	• Redman (Honda)	Hailwood (MV Agusta)	• Robb (Honda)	Stastny (Jawa)	Grassetti (Bianchi)
1963	• Redman (Honda)	Hailwood (MV Agusta)	• Taveri (Honda)	Stastny (Jawa)	Havel (Jawa)
1964	• Redman (Honda)				Woodman (MZ)
1965	• Redman (Honda)	Agostini (MV Agusta)	Hailwood (MV Agusta)	• Beale (Honda)	Stastny (Jawa)
1966	• Hailwood (Honda)	Agostini (MV Agusta)	Pasolini (Aermacchi)	Stastny (Jawa)	Havel (Jawa)
1967	• Hailwood (Honda)	Agostini (MV Agusta)	• Bryans (Honda)	Rosner (MZ)	Woodman (MZ)

CATÉGORIE 500 CM³

Années	Premier	Deuxième	Troisième	Quatrième	Cinquième
1966	Agostini (MV Agusta)	• Hailwood (Honda)	Findlay (Matchless)	Stastny (Jawa)	• Redman (Honda)
1967	Agostini (MV Agusta)	• Hailwood (Honda)	Hartle (Norton)	Williams (Matchless)	Findlay (Matchless)

Dans les années 80, Honda fit un come-back dans le Championnat moto avec des solutions techniques jamais vues (comme, par exemple, des moteurs à pistons ovales...) et des pilotes dont le talent devait remuer les foules : Freddy Spencer, Eddy Lawson et Wayne Gardner.

Les catégories 50 cm³ et 350 cm³ ayant disparu du championnat, c'est en 250 cm³ et 500 cm³ que la firme d'Hamamatsu concentra ses efforts afin de renouer avec le titre mondial en 1983 (500 cm³/F. Spencer), 1985 (250 et 500 cm³/F. Spencer), 1987 (250 cm³/A. Mang, 500 cm³/W.

Gardner), 1988 (250 cm^3/S. Pons) et 1989 (250 cm^3/S. Pons, 500 cm^3/E. Lawson).

Dans les années 80, Honda s'intéressa de près au moto-cross, très en vogue durant cette décennie « verte », et au trial. De nombreuses victoires en cross donnèrent un fort capital sympathie à la marque et dernièrement, les victoires de Honda en cross indoor avec le champion du monde Jean-Michel Bayle rendirent la marque reine dans la catégorie.

En trial, Honda créa aussi l'événement en remportant le Championnat du monde en 1982, 1983 et 1984 grâce au talent d'Eddy Lejeune et aux performances étonnantes de sa Honda RTL 300 R, première moto à moteur quatre temps à remporter un championnat de trial.

Deux autres types d'épreuves devaient participer à la forte renommée de Honda en compétition motocycliste : l'endurance et les rallyes africains.

Dans ces deux spécialités, Honda France fut la tête de pont de l'usine japonaise.

Dès la fin des années 60, Jean-Louis Guillou, assisté de Pierre Laurent-Chauvet, animait le service compétition au sein de la filiale française de la marque.

Lorsque le Bol d'or renaît de ses cendres en 1969, Rougerie et Urdich remportent l'épreuve au guidon d'une CB 750 Four très proche du modèle de série. En 1972, l'épreuve quitte le circuit de Montlhéry pour Le Mans et c'est une Japauto-Honda, préparée par l'équipe du concessionnaire parisien dirigée par M. Barbier, qui l'emporte, pilotée par Debrocq et Ruiz.

Japauto et Honda renouent avec la victoire en 1973 grâce à l'équipage Debrocq-Tchernine.

A cette époque, seuls des préparateurs de machines japonaises, tels que Japauto pour Honda ou Godier-Genoud pour Kawasaki, participent au Championnat d'Europe d'Endurance face aux usines européennes qui engagent plus ou moins officiellement des motos Guzzi, Laverda, Triumph, Benelli, Ducati ou BMW.

MONSIEUR HONDA

Sur le terrain au quotidien, Jean-Louis Guillou préparait dès 1969 l'arrivée d'une écurie officielle Honda. Il se souvient :

« Le quatre cylindres de la CB 750 Four était un moteur étonnant. A peine amélioré et monté dans un cadre de compétition plus rigide, il devenait imbattable sur circuit.

« L'intérêt de plus en plus grand accordé par le public aux épreuves du Championnat d'Europe d'Endurance poussa Honda à y participer avec une structure officielle.

« Depuis 1969, nous préparions des machines sur des bases de CB 750 Four, des 860 cm³, par exemple, et l'expérience acquise avec ces motos a permis aux ingénieurs de concevoir une moto de course originale, la RCB 1000.

« C'est en 1976 que Honda participa pour la première fois officiellement au Championnat d'Europe d'Endurance avec les machines et les pilotes du HERT, le Honda Endurance Racing Team. »

De 1976 à 1979, les machines rouge et bleu du HERT devaient survoler le Championnat d'Europe grâce en particulier au tandem historique formé par Christian Léon et Jean-Claude Chemarin.

En 1978, la saison d'endurance accueillait une nouvelle épreuve de 24 heures sur le territoire français avec l'apparition des 24 Heures du Mans motocyclistes qui, en alternance avec le Bol d'or parti sur le circuit du Castellet, comptera dès 1980 pour le nouveau championnat devenu mondial.

Après les arrogantes RCB 1000, l'usine équipa le HERT de RS 1000 et 930, puis des RVF qui trustèrent les victoires de 1985 jusqu'en 1990, dernière saison de l'écurie japonaise après quinze années de succès.

Lorsque l'on dit que le HERT était une écurie officielle japonaise, Jean-Louis Guillou sourit :

« L'aventure du HERT a été formidable à tout point de vue. Humainement surtout avec une équipe franco-japonaise qui s'entendait

314

à merveille dans les stands avec pourtant un handicap linguistique de taille. Certains des mécaniciens-ingénieurs japonais ne parlaient pas très bien l'anglais et certains de nos pilotes et mécaniciens français ne le parlaient pas du tout ! Et pourtant tout le monde finissait par se comprendre à force de gestes et de croquis. »

Ayant eu la chance, de 1976 à 1980, de partager fréquemment la vie du HERT sur les circuits européens, je dois dire qu'il était parfois amusant de voir cohabiter le sérieux et la rigueur japonaise avec l'humour et le système « D » des pilotes et mécaniciens français.

Les Japonais passaient leur temps à noter le moindre de leurs faits et gestes ainsi que le détail de toutes les interventions qu'ils faisaient sur les machines.

Aika San, qui fut longtemps le responsable japonais du HERT, un ancien de la glorieuse période du Continental Circus des années 60, notait sur son minimagnétophone tous les événements de la journée. Les cassettes étaient ensuite expédiées au Japon pour être disséquées et les réfléxions et notes d'Aika San permettaient aux ingénieurs du R & D d'avancer dans leurs travaux avec le feed-back du terrain.

Pour accélérer encore la communication entre les centres de R & D japonais et les équipes sur le terrain, le HERT avait à sa disposition des télécopieurs installés dans les stands, en bord de piste, dès 1976.

Si aujourd'hui envoyer un « fax » est aussi commun que de donner un coup de téléphone, en 1976 les télécopieurs faisaient presque partie de la panoplie de James Bond. Les appareils de l'époque, d'origine 3M ou Infotec, étaient aussi encombrants qu'un copieur couleur actuel !

Les journalistes, qui à l'époque dictaient par téléphone leurs « papiers » aux sténos de leurs journaux, rêvaient devant ces appareils qui bientôt leur permettraient d'envoyer leurs articles en deux minutes sur le bureau de leurs rédacteurs en chef favoris.

Ces télécopieurs de la première génération permettaient aux membres du HERT de communiquer dans l'instant des croquis, schémas ou photos, aux ingénieurs du R & D compétition prêts à réagir à tout problème en direct du Japon.

Tous les moyens étaient bons pour gagner, y compris la simulation de la course à courir par une moto-sœur dans les laboratoires japonais.

Sur chaque circuit du championnat, les pilotes du HERT avaient enregistré des bandes magnétiques très précieuses. Munis de magnétophones miniatures, les pilotes réalisaient plusieurs tours de circuit. A la lecture des bandes, les ingénieurs pouvaient ainsi savoir, en fonction du nombre de changements de vitesse, des différents types d'accélérations et autres paramètres importants, quels étaient les réglages idéaux pour chaque circuit. Ces enregistrements, croisés avec des relevés topographiques de chaque circuit, et les conditions météorologiques du moment, permettaient également de programmer des simulateurs qui, lors des courses de 24 heures, offraient la possibilité à une moto de « courir » en laboratoire.

Cette machine identique en tout point à celles qui tournaient à des milliers de kilomètres sur un circuit bien réel, permettait de déceler d'éventuels problèmes mécaniques et de les communiquer aux ingénieurs pour vérification lors des ravitaillements et changements de pilotes.

Au milieu de tous ces moyens techniques, les mécaniciens français, tels que Jean-Jacques Catillon ou Pierre Loth, continuaient à entretenir le côté débrouillard et « système D » de l'équipe.

Quand à quelques tours de la victoire une machine arrive dans le stand le carter fêlé, les ingénieurs japonais sont à deux doigts de baisser les bras et de rentrer la moto dans le stand en signe d'abandon. C'est à ce moment-là qu'un des « Frenchies » colmate la fissure avec un chewing-gum avant de refaire les pleins d'huile et de relancer la machine vers la victoire. Cette cohabitation franco-japonaise a beaucoup apporté à la réussite du HERT sur les circuits du monde entier.

Les résultats le démontrent bien :

ENDURANCE

BOL D'OR

1969. Rougerie-Urdich — CB 750 Four Honda
1970. Dickie-Smart — Triumph Trident (Monthléry)
1971. Tait-Pickrell — (BSA) Triumph-Trident (Monthléry)
1972. Debrocq-Ruiz — Japauto Honda (Le Mans)
1973. Debrocq-Tchernine — Japauto Honda (Le Mans)
1974. Godier-Genoud — Kawasaki (Le Mans)
1975. Godier-Genoud — Kawasaki (Le Mans)
1976. Chemarin-Georges — Honda RCB 1000 (Le Mans)
1977. Léon-Chemarin — Honda RCB 1000 (Le Mans)
1978. Léon-Chemarin — Honda RCB 1000 (Le Castellet)
1979. Léon-Chemarin — Honda RCB 1000 (Le Castellet)
1980. Gross-Samin — Suzuki (Le Castellet)
1981. Sarron-Jaubert — Honda RS 1000 (Le Castellet)
1982. Lafond-Igoa-Guilleux — Kawasaki (Le Castellet)
1983. Roche-Bertin-Sarron — Honda RS 930 (Le Castellet)
1984. Oudin-De Radiguez — Suzuki (Le Castellet)
1985. Coudray-Igoa-Vieira — Honda RVF (Le Castellet)
1986. Sarron-Bolle-Battistini — Honda RVF (Le Castellet)
1987. Sarron-Battistini-Mattioli — Honda RVF (Le Castellet)
1988. Sarron-Vieira-Bouheben — Honda RVF (Le Castellet)
1989. Vieira-Mattioli-Burnett — Honda RVF (Le Castellet)
1990. Vieira-Mattioli-Mertens — Honda RVF (Le Castellet)

24 HEURES DU MANS MOTOCYCLISTES

1978. Léon-Chemarin — Honda RCB 1000
1979. Léon-Chemarin — Honda RCB 1000

MONSIEUR HONDA

1980. Fontan-Moineau — Honda RCB 1000
1981. Chemarin-Huguet — Kawasaki 1000
1982. Samin-Pernet — Suzuki 1000
1983. Cornu-Coudray-Pellamoini — Kawasaki
1984. Vander Mark-Brand — Suzuki
1985. Bertin-Millet-Guichen — Suzuki
1986. Igoa-Vieira — Honda RVF
1987. Sarron-Battistini-Mattioli — Honda RVF
1988. Vieira-Bouheben-Mattioli — Honda RVF
1989. Mattioli-Burnett — Honda RVF
1990. Vieira-Mattioli-Mertens — Honda RVF

HONDA CHAMPION D'EUROPE :
     1976 pilotes : Léon et Chemarin
     1977 pilotes : Léon et Chemarin
     1978 pilotes : Léon et Chemarin
     1979 pilotes : Léon et Chemarin

HONDA CHAMPION DU MONDE :
     1980 pilotes : Fontan et Moineau
     1984 ⎫
     1985 ⎬ grand chelem
     1986 ⎭

HONDA COUPE D'ENDURANCE : 1989 ⎫
                          1990 ⎬ grand chelem

Autre spécialité explorée par Jean-Louis Guillou et Pierre Laurent-Chauvet dans les années 70 : les rallyes africains.

Inventés par Jean-Claude Bertrand avec le fameux « Abidjan-Nice », ces rallyes africains connurent l'explosion médiatique que l'on sait grâce au Paris-Dakar créé par Thierry Sabine en 1980, d'après un projet de Jean-Claude Bertrand dénommé « 5 × 5 Transafrica ».

Dès le premier « Abidjan-Nice », Honda monte sur le podium : sur les 70 motos engagées, seules 3 sont classées à

318

l'arrivée dont la XL 250 de Gilles Mallel qui remporte l'épreuve et la CB 250 de Penin qui termine troisième !

De 1982 à 1989, Honda remportera 5 victoires au Paris-Dakar :

— 1982/1986/1987 : Cyril Neveu (F)
— 1988   : Eddy Orioli (I)
— 1989   : Gilles Lalay (F)

En 1982, Cyril Neveu créa l'événement en remportant le Dakar puis le premier Rallye des Pharaons !

Le Rallye de l'Atlas est aussi une des épreuves qui réussit à l'équipe Honda. Cinq victoires sur huit participations le prouvent :

— 1982/Neveu, 1986/Lalay, 1987/Lalay, 1988/Morales, 1989/Lalay.

2. HONDA ET LA FORMULE 1

Dès 1968, Honda et Kawamoto sentent le vent venir... Le marché du deux-roues est bientôt arrivé à saturation, tout au moins à sa vitesse de croisière. C'est pour cette raison que Honda décide alors de jouer la carte automobile dans les années à venir.

Afin d'asseoir sa notoriété dans ce secteur, Honda Motor a utilisé le même support que pour la moto : la compétition.

Dès 1964, Honda participe à quelques courses de F1 et remporte sa première victoire en 1965 à Mexico.

Le Team Honda F1 cessa ses activités à l'issue de la saison 1968 pour ne réapparaître que 15 ans plus tard sur les circuits. Spirit, Williams, Lotus et Mac Laren animés par des moteurs Honda et pilotés par des hommes tels que Rosberg, Laffite, Mansell, Piquet, Nakajima, Patrese, Prost, Berger et Senna, devaient faire le spectacle de 1983 à 1992.

Le redémarrage eut lieu en 1983 suite à une décision prise en 1977 par le président de l'époque, Kawashima.

Il fallut donc plus de six ans pour remettre sur pied une

équipe d'ingénieurs et mettre au point « le » moteur qui permettrait à Honda de s'imposer. Commercialement, Honda connaissait le succès depuis la sortie de la Civic puis de l'Accord et il était hors de question d'aller sur les circuits de Formule 1 pour y faire de la figuration.

L'ingénieur Yoshio Nakamura, Tadashi Kume et Nobuhiko Kawamoto avaient « carte blanche » pour réussir le retour à la compétition. Masaru Unno, le journaliste Jabby Crombac, Claude F. Sage, directeur de Honda Suisse, et Bernard Cahier faisaient partie du « cabinet noir » de Honda comme consultants. Ces hommes étaient tous animés par la même passion et la même envie de revoir briller les moteurs Honda sur les circuits de Formule 1.

C'est en 1984 que Honda renoue avec la victoire grâce à un moteur Turbo qui équipait la Williams de Kéké Rosberg qui devait remporter le Grand Prix de Dallas.

Nobuhiko Kawamoto se souvient :

« *J'ai passé la course dans une tribune et rarement j'ai été aussi anxieux pendant une épreuve. Après tant d'hésitations et d'insuccès, il nous fallait une victoire. Gagner aux États-Unis était très important et ma joie était immense au baisser du drapeau à damiers sur le nez de la voiture de Rosberg. Sur la chaise placée derrière moi se trouvait l'ancien président Carter, quel symbole !*

« *Comme on le faisait dans les années 60 avec Soichiro Honda, je suis parti à la recherche d'un téléphone pour prévenir le président Kume du résultat et lui faire un débriefing de la course gagnée par Kéké Rosberg et que Jacques Laffite termina en quatrième position. Malheureusement Tadashi Kume étant absent, mon enthousiasme se trouva face à la mécanique de son répondeur-enregistreur.* »

Jusqu'en 1992, Nobuhiko Kawamoto, devenu président en 1990, eut de grandes et belles émotions, entre autres grâce au duo formé par les frères ennemis, Alain Prost et Ayrton Senna.

Fin 1992, c'est un communiqué signé Kawamoto qui annonce le retrait de Honda de la Formule 1.

ANNEXES

Aujourd'hui Mugen, dirigé par Hirotoshi Honda, est une présence discrète de Honda sur les circuits : les moteurs transformés par Mugen ont pour base des Honda et certains ingénieurs de chez Honda sont détachés chez Mugen Compétition afin de ne pas perdre la main de façon à être prêt le jour où il le faudra...

1993, c'est aussi l'année du départ de Mansell des circuits de F1 pour aller courir aux États-Unis en formule Indy.

Et si Honda décidait d'aller faire un tour dans cette formule ? C'est officiel depuis février 1993 et cela promet une saison mouvementée sur le territoire américain. D'autant plus que Toyota et Nissan prévoient également de participer à ces épreuves dans les mois à venir. Nobuhiko Kawamoto a précisé que le développement des voitures serait réalisé par des équipes de Honda of America sous la marque Acura et non par les ingénieurs du R & D spécialisés dans la F1. Il y a monoplace et monoplace...

LES RÉSULTATS

De 1964 à 1992, Honda a participé à 185 Grands Prix de Formule 1. Pour les résultats, les chiffres indiquent le classement final, et les lettres, Abandon (A), Disqualifié (D), Forfait (WO) et Non-qualifié (NQ).

ANNÉES 1964 À 1986

Circuit	Pilote	Châssis	Résultat
		1964	
Nürburgring	Bucknum	RA 271	A
Monza	Bucknum	RA 271	A
Watkins Glen	Bucknum	RA 271	A

Circuit	Pilote	Châssis	Résultat
		1965	
Monaco	Ginther	RA 272	A
	Bucknum	RA 272	A
Spa	Ginther	RA 272	A
	Bucknum	RA 272	A
Clermont-Ferrand	Ginther	RA 272	A
	Bucknum	RA 272	A
Silverstone	Ginther	RA 272	A
Zandvoort	Ginther	RA 272	6
Monza	Ginther	RA 272	A
	Bucknum	RA 272	A
Watkins Glen	Ginther	RA 272	7
	Bucknum	RA 272	A
Mexico	Ginther	RA 272	1
	Bucknum	RA 272	5
		1966	
Monza	Ginther	RA 273	A
Watkins Glen	Ginther	RA 273	A
	Bucknum	RA 273	A
Mexico	Ginther	RA 273	4
	Bucknum	RA 273	8
		1967	
Kyalami	Surtees	RA 273	3
Monaco	Surtees	RA 273	A
Zandvoort	Surtees	RA 273	A
Spa	Surtees	RA 273	A
Silverstone	Surtees	RA 273	6
Nürburgring	Surtees	Honda F1	4
Monza	Surtees	RA 300	1
Watkins Glen	Surtees	RA 300	A
Mexico	Surtees	RA 300	4

ANNEXES

Circuit	Pilote	Châssis	Résultat
		1968	
Kyalami	Surtees	RA 301	8
Jarama	Surtees	RA 301	A
Monaco	Surtees	RA 301	A
Spa	Surtees	RA 301	A
Zandvoort	Surtees	RA 301	A
Rouen	Surtees	RA 301	2
	Schlesser	RA 302	A
Brands Hatch	Surtees	RA 301	5
Nürburgring	Surtees	RA 301	A
Monza	Surtees	RA 301	A
	David Hobbs	RA 301	A
Mont-Tremblant	Surtees	RA 301	A
Watkins Glen	Surtees	RA 301	3
Mexico	Surtees	RA 301	A
	Bonnier	RA 301	5
		1983	
Silverstone	Johansson	Spirit	A
Hockenheim	Johansson	Spirit	A
Zeltweg	Johansson	Spirit	12
Zandvoort	Johansson	Spirit	7
Monza	Johansson	Spirit	A
Brands Hatch	Johansson	Williams	14
Kyalami	Rosberg	Williams	5
	Laffite	Williams	A
		1984	
Rio	Rosberg	Williams 09	2
	Laffite	Williams 09	A
Kyalami	Rosberg	Williams 09	A
	Laffite	Williams 09	A

Circuit	Pilote	Châssis	Résultat
Zolder	Rosberg	Williams 09	4
	Laffite	Williams 09	A
Imola	Rosberg	Williams 09	A
	Laffite	Williams 09	A
Dijon	Rosberg	Williams 09	6
	Laffite	Williams 09	8
Monaco	Rosberg	Williams 09	5
	Laffite	Williams 09	9
Montréal	Rosberg	Williams 09	A
	Laffite	Williams 09	A
Detroit	Rosberg	Williams 09	A
	Laffite	Williams 09	6
Dallas	Rosberg	Williams 09	1
	Laffite	Williams 09	4
Brands Hatch	Rosberg	Williams 09	A
	Laffite	Williams 09	A
Hockenheim	Rosberg	Williams 09	A
	Laffite	Williams 09	A
Zeltweg	Rosberg	Williams 09	A
	Laffite	Williams 09	A
Zandvoort	Rosberg	Williams 09	10
	Laffite	Williams 09	A
Monza	Rosberg	Williams 09	A
	Laffite	Williams 09	A
Nürburgring	Rosberg	Williams 09	A
	Laffite	Williams 09	A
Estoril	Rosberg	Williams 09	A
	Laffite	Williams 09	14

1985

Circuit	Pilote	Châssis	Résultat
Rio	Rosberg	Williams 10	A
	Mansell	Williams 10	A
Estoril	Rosberg	Williams 10	A
	Mansell	Williams 10	A

ANNEXES

Circuit	Pilote	Châssis	Résultat
Imola	Rosberg	Williams 10	A
	Mansell	Williams 10	5
Monaco	Rosberg	Williams 10	8
	Mansell	Williams 10	7
Montréal	Rosberg	Williams 10	4
	Mansell	Williams 10	6
Detroit	Rosberg	Williams 10	1
	Mansell	Williams 10	A
Paul-Ricard	Rosberg	Williams 10	2
	Mansell	Williams 10	WO
Silverstone	Rosberg	Williams 10	A
	Mansell	Williams 10	A
Nürburgring	Rosberg	Williams 10	A
	Mansell	Williams 10	6
Zeltweg	Rosberg	Williams 10	4
	Mansell	Williams 10	2
Zandvoort	Rosberg	Williams 10	A
	Mansell	Williams 10	6
Monza	Rosberg	Williams 10	A
	Mansell	Williams 10	11
Spa	Rosberg	Williams 10	4
	Mansell	Williams 10	2
Brands Hatch	Rosberg	Williams 10	3
	Mansell	Williams 10	1
Kyalami	Rosberg	Williams 10	2
	Mansell	Williams 10	1
Adélaïde	Rosberg	Williams 10	1
	Mansell	Williams 10	A

1986

Rio	Piquet	Williams 11	1
	Mansell	Williams 11	A
Jerez	Piquet	Williams 11	A
	Mansell	Williams 11	2

MONSIEUR HONDA

Circuit	Pilote	Châssis	Résultat
Imola	Piquet	Williams 11	2
	Mansell	Williams 11	A
Monaco	Piquet	Williams 11	7
	Mansell	Williams 11	4
Spa	Piquet	Williams 11	A
	Mansell	Williams 11	1
Montréal	Piquet	Williams 11	3
	Mansell	Williams 11	1
Detroit	Piquet	Williams 11	A
	Mansell	Williams 11	5
Paul-Ricard	Piquet	Williams 11	3
	Mansell	Williams 11	1
Brands Hatch	Piquet	Williams 11	2
	Mansell	Williams 11	1
Hockenheim	Piquet	Williams 11	1
	Mansell	Williams 11	3
Hungaroring	Piquet	Williams 11	1
	Mansell	Williams 11	3
Zeltweg	Piquet	Williams 11	A
	Mansell	Williams 11	A
Monza	Piquet	Williams 11	1
	Mansell	Williams 11	2
Estoril	Piquet	Williams 11	3
	Mansell	Williams 11	1
Mexico	Piquet	Williams 11	4
	Mansell	Williams 11	5
Adélaïde	Piquet	Williams 11	2
	Mansell	Williams 11	A

À PARTIR DE 1987

W.FW11 = Williams 11
L99 T = Lotus 99

Circuit	Pilote	Châssis	Résultat
	L100 T = Lotus 100		
	MP 4/4 = McLaren 4		
	MP 4/5 = McLaren 5		
	1987		
Rio	Piquet	W.FW 11	2
	Mansell	W.FW 11	6
	Senna	L99T	A
	Nakajima	L99T	7
Imola	Piquet	W.FW 11	WO
	Mansell	W.FW 11	1
	Senna	L99T	2
	Nakajima	L99T	6
Spa	Piquet	W.FW 11	A
	Mansell	W.FW 11	A
	Senna	L99T	A
	Nakajima	L99T	5
Monaco	Piquet	W.FW 11	2
	Mansell	W.FW 11	A
	Senna	L99T	1
	Nakajima	L99T	10
Detroit	Piquet	W.FW 11	2
	Mansell	W.FW 11	5
	Senna	L99T	1
	Nakajima	L99T	A
Paul-Ricard	Piquet	W.FW 11	2
	Mansell	W.FW 11	1
	Senna	L99T	4
	Nakajima	L99T	A
Silverstone	Piquet	W.FW 11	2
	Mansell	W.FW 11	1
	Senna	L99T	3
	Nakajima	L99T	4

MONSIEUR HONDA

Circuit	Pilote	Châssis	Résultat
Hockenheim	Piquet	W.FW 11	1
	Mansell	W.FW 11	A
	Senna	L99T	3
	Nakajima	L99T	A
Hungaroring	Piquet	W.FW 11	1
	Mansell	W.FW 11	14
	Senna	L99T	2
	Nakajima	L99T	A
Zeltweg	Piquet	W.FW 11	2
	Mansell	W.FW 11	1
	Senna	L99T	1
	Nakajima	L99T	13
Monza	Piquet	W.FW 11	1
	Mansell	W.FW 11	3
	Senna	L99T	2
	Nakajima	L99T	11
Estoril	Piquet	W.FW 11	3
	Mansell	W.FW 11	A
	Senna	L99T	7
	Nakajima	L99T	8
Jerez	Piquet	W.FW 11	4
	Mansell	W.FW 11	1
	Senna	L99T	5
	Nakajima	L99T	9
Mexico	Piquet	W.FW 11	2
	Mansell	W.FW 11	1
	Senna	L99T	A
	Nakajima	L99T	A
Suzuka	Piquet	W.FW 11	A
	Mansell	W.FW 11	WO
	Senna	L99T	2
	Nakajima	L99T	6
Adélaïde	Piquet	W.FW 11	A
	Patrese	W.FW 11	A
	Senna	L99T	D
	Nakajima	L99T	A

ANNEXES

Circuit	Pilote	Châssis	Résultat
		1988	
Rio	Piquet	L100T	3
	Nakajima	L100T	6
	Senna	MP 4/4	A
	Prost	MP 4/4	1
Imola	Piquet	L100T	3
	Nakajima	L100T	8
	Senna	MP 4/4	1
	Prost	MP 4/4	2
Monaco	Piquet	L100T	A
	Nakajima	L100T	NQ
	Senna	MP 4/4	A
	Prost	MP 4/4	1
Mexico	Piquet	L100T	A
	Nakajima	L100T	A
	Senna	MP 4/4	2
	Prost	MP 4/4	1
Montréal	Piquet	L100T	4
	Nakajima	L100T	2
	Senna	MP 4/4	1
	Prost	MP 4/4	2
Detroit	Piquet	L100T	A
	Nakajima	L100T	NQ
	Senna	MP 4/4	1
	Prost	MP 4/4	2
Paul-Ricard	Piquet	L100T	5
	Nakajima	L100T	6
	Senna	MP 4/4	2
	Prost	MP 4/4	1
Silverstone	Piquet	L100T	5
	Nakajima	L100T	10
	Senna	MP 4/4	1
	Prost	MP 4/4	A

Circuit	Pilote	Châssis	Résultat
Hockenheim	Piquet	L100T	A
	Nakajima	L100T	9
	Senna	MP 4/4	1
	Prost	MP 4/4	2
Hungaroring	Piquet	L100T	8
	Nakajima	L100T	7
	Senna	MP 4/4	1
	Prost	MP 4/4	2
Spa	Piquet	L100T	6
	Nakajima	L100T	A
	Senna	MP 4/4	1
	Prost	MP 4/4	2
Monza	Piquet	L100T	A
	Nakajima	L100T	A
	Senna	MP 4/4	A
	Prost	MP 4/4	A
Estoril	Piquet	L100T	A
	Nakajima	L100T	A
	Senna	MP 4/4	6
	Prost	MP 4/4	1
Jerez	Piquet	L100T	8
	Nakajima	L100T	A
	Senna	MP 4/4	4
	Prost	MP 4/4	1
Suzuka	Piquet	L100T	A
	Nakajima	L100T	7
	Senna	MP 4/4	1
	Prost	MP 4/4	2
Adélaïde	Piquet	L100T	3
	Nakajima	L100T	A
	Senna	MP 4/4	2
	Prost	MP 4/4	1

ANNEXES

Circuit	Pilote	Châssis	Résultat
		1989	
Rio	Prost	MP 4/5	2
	Senna	MP 4/5	A
Imola	Prost	MP 4/5	2
	Senna	MP 4/5	1
Monaco	Prost	MP 4/5	2
	Senna	MP 4/5	1
Mexico	Prost	MP 4/5	5
	Senna	MP 4/5	1
Phœnix	Prost	MP 4/5	1
	Senna	MP 4/5	A
Montréal	Prost	MP 4/5	A
	Senna	MP 4/5	A
Paul-Ricard	Prost	MP 4/5	1
	Senna	MP 4/5	A
Silverstone	Prost	MP 4/5	1
	Senna	MP 4/5	A
Hockenheim	Prost	MP 4/5	2
	Senna	MP 4/5	1
Hungaroring	Prost	MP 4/5	4
	Senna	MP 4/5	2
Spa	Prost	MP 4/5	2
	Senna	MP 4/5	1
Monza	Prost	MP 4/5	1
	Senna	MP 4/5	A
Estoril	Prost	MP 4/5	2
	Senna	MP 4/5	A
Jerez	Prost	MP 4/5	3
	Senna	MP 4/5	1
Suzuka	Prost	MP 4/5	A
	Senna	MP 4/5	D
Adélaïde	Prost	MP 4/5	A
	Senna	MP 4/5	A

En 1990 et 1991 Ayrton Senna et McLaren devaient à
nouveau remporter le titre mondial, et la saison 1992 fut

Circuit	Pilote	Châssis	Résultat

plutôt décevante de par le mauvais choix fait par McLaren de ne pas équiper ses voitures de suspensions électroniques, à l'inverse des Williams quasiment intouchables durant toute la saison.

		1990	
Brésil	Berger	McLaren 90	2
	Senna	McLaren 90	3
Allemagne	Senna	McLaren 90	1
	Berger	McLaren 90	3
Australie	Berger	McLaren 90	4
	Senna	McLaren 90	A
Canada	Senna	McLaren 90	1
	Berger	McLaren 90	4
Espagne	Senna	McLaren 90	A
	Berger	McLaren 90	A
France	Senna	McLaren 90	3
	Berger	McLaren 90	5
G.-B.	Senna	McLaren 90	3
	Berger	McLaren 90	14
Hongrie	Senna	McLaren 90	2
	Berger	McLaren 90	16
Italie	Senna	McLaren 90	1
	Berger	McLaren 90	3
Japon	Senna	McLaren 90	A
	Berger	McLaren 90	A
Mexique	Berger	McLaren 90	3
	Senna	McLaren 90	20
Monaco	Senna	McLaren 90	1
	Berger	McLaren 90	A
Portugal	Senna	McLaren 90	2
	Berger	McLaren 90	4
San Marino	Berger	McLaren 90	2
	Senna	McLaren 90	A

ANNEXES

Circuit	Pilote	Châssis	Résultat
USA West	Senna	McLaren 90	1
	Berger	McLaren 90	A

1991

Circuit	Pilote	Châssis	Résultat
Brésil	Senna	McLaren 91	1
	Berger	McLaren 91	2
	Nakajima	Tyrrell 1	A
	Modena	Tyrrell 1	A
Allemagne	Berger	McLaren 91	4
	Senna	McLaren 91	7
	Modena	Tyrrell 91	13
	Nakajima	Tyrrell 91	A
Australie	Senna	McLaren 91	1
	Berger	McLaren 91	3
	Modena	Tyrrell 91	10
	Nakajima	Tyrrell 91	A
Belgique	Senna	McLaren 91	1
	Berger	McLaren 91	2
	Modena	Tyrrell 91	A
	Nakajima	Tyrrell 91	A
Canada	Modena	Tyrrell 91	2
	Nakajima	Tyrrell 91	10
	Senna	McLaren 91	A
	Berger	McLaren 91	A
Espagne	Senna	McLaren 91	5
	Berger	McLaren 91	A
	Modena	Tyrrell 91	16
	Nakajima	Tyrrell 91	17
France	Senna	McLaren 91	3
	Berger	McLaren 91	A
	Modena	Tyrrell 91	A
	Nakajima	Tyrrell 91	A
G.-B.	Berger	McLaren 91	2
	Senna	McLaren 91	4

333

Circuit	Pilote	Châssis	Résultat
	Modena	Tyrrell 91	7
	Nakajima	Tyrrell 91	8
Hongrie	Senna	McLaren 91	1
	Berger	McLaren 91	4
	Modena	Tyrrell 91	12
	Nakajima	Tyrrell 91	15
Italie	Senna	McLaren 91	2
	Berger	McLaren 91	4
	Modena	Tyrrell 91	A
	Nakajima	Tyrrell 91	A
Japon	Berger	McLaren 91	1
	Senna	McLaren 91	2
	Modena	Tyrrell 91	6
	Nakajima	Tyrrell 91	A
Mexique	Senna	McLaren 91	3
	Modena	Tyrrell 91	11
	Nakajima	Tyrrell 91	12
	Berger	McLaren 91	A
Monaco	Senna	McLaren 91	1
	Berger	McLaren 91	A
	Modena	Tyrrell 91	A
	Nakajima	Tyrrell 91	A
Portugal	Senna	McLaren 91	2
	Nakajima	Tyrrell 91	13
	Modena	Tyrrell 91	A
	Berger	McLaren 91	A
San Marino	Senna	McLaren 91	1
	Berger	McLaren 91	2
	Modena	Tyrrell 91	A
	Nakajima	Tyrrell 91	A
USA West	Senna	McLaren 91	1
	Modena	Tyrrell 91	4
	Nakajima	Tyrrell 91	5
	Berger	McLaren 91	A

ANNEXES

Circuit	Pilote	Châssis	Résultat
		1992	
Brésil	Senna	McLaren 92	A
	Berger	McLaren 92	A
Afrique du Sud	Senna	McLaren 92	3
	Berger	McLaren 92	5
Allemagne	Senna	McLaren 92	2
	Berger	McLaren 92	A
Australie	Berger	McLaren 92	1
	Senna	McLaren 92	A
Belgique	Senna	McLaren 92	5
	Berger	McLaren 92	A
Canada	Berger	McLaren 92	1
	Senna	McLaren 92	A
Espagne	Berger	McLaren 92	3
	Senna	McLaren 92	9
France	Senna	McLaren 92	A
	Berger	McLaren 92	A
G.-B.	Berger	McLaren 92	5
	Senna	McLaren 92	A
Hongrie	Senna	McLaren 92	1
	Berger	McLaren 92	3
Italie	Senna	McLaren 92	1
	Berger	McLaren 92	4
Japon	Berger	McLaren 92	2
	Senna	McLaren 92	A
Mexique	Berger	McLaren 92	4
	Senna	McLaren 92	A
Monaco	Senna	McLaren 92	1
	Berger	McLaren 92	A
Portugal	Berger	McLaren 92	2
	Senna	McLaren 92	3
San Marino	Senna	McLaren 92	3
	Berger	McLaren 92	A

SOICHIRO HONDA,
un CV hors du commun

17 nov. 1906 : Né au village de Komyo, comté d'Iwata, Préfecture de Shizuoka, Japon.

1922-28 : Travaille chez Art Shokai (Atelier de Réparation pour Automobile).

1928-37 : Propriétaire d'une succursale de Art Shokai à Hamamatsu City.

1937-45 : Fondateur et Président de la Tokai Seiki Co., Ltd. (fabricant de segment de piston).

1946-48 : Fondateur et Président de Honda Gijutsu Kenkyujo (laboratoire de recherche technique Honda).

1948-73 : Fondateur et Président de la Honda Motor Co., Ltd.

1973-82 : Prend sa retraite en tant que Président et devient Conseiller Suprême de la Honda Motor Co., Ltd.

1974 : Fondateur de l'Association Internationale des Sciences de la Circulation et de la Sécurité.

1977 : Fondateur de la Fondation Honda.

1982 : Se retire du Conseil d'Administration de la Honda Motor Co., Ltd. mais reste Conseiller Suprême de la Honda Motor Co., Ltd.

1983 : Président de la Société Japon Belgique.

1983-88 : Membre du Comité Consultatif au Bureau du Commerce, Bureau du Premier Ministre.

SOICHIRO HONDA

1983-86 : Conseiller au Comité Spécial de Conseil pour l'Application de la Réforme Administrative.

1987 : Président du Comité Europalia du Japon (Europalia 1989 Japan).

Diplômes :
Haute École de Technologie de Hamamatsu.
Licence de 2 ans (Japon) 1939.

Docteur Honoraire en Sciences Techniques :
Université de Sophia (Japon), 1973.
Université Technologique de Michigan (États-Unis), 1974.
Université de Droit, d'Économie et des Sciences d'Aix-Marseille (France), 1980.
Institut de Technologie de Cranfield (Angleterre), 1984.

Docteur Honoraire en Lettres Humaines :
Université de l'État d'Ohio (États-Unis).

Honneurs :
Médaille du Ruban Bleu (Japon), 1952 (pour le développement de petits moteurs).
Mercurio d'Oro (Italie), 1971 (pour sa contribution au développement de l'industrie européenne).
Prix de la Culture du Transport (Japon), 1973 (pour la promotion de l'industrie automobile au Japon).
« Grande Ufficiale dell'Ordine al Merito » (Italie), 1978 (pour la promotion des relations entre le Japon et l'Italie à travers l'activité économique et des conférences internationales).
Commandeur de l'Ordre de la Couronne (Belgique), 1979 (pour sa contribution au développement de l'industrie belge).
Commandeur Chevalier de l'Ordre Royal de l'Étoile Polaire (Suède), 1980 (pour sa contribution au développe-

MONSIEUR HONDA

ment des sciences et technologies et la promotion des
relations entre la Suède et le Japon).
Officier dans l'Ordre des Arts et des Lettres (France),
1980 (pour la promotion des relations entre la France et le
Japon à travers le programme « Découvertes »).
Médaille Holley de la Société Américaine des Ingénieurs
Mécaniciens (États-Unis), 1980 (pour sa contribution aux
développpements des petits moteurs, rendant le transport
économique disponible dans le monde entier).
Premier Ordre des Trésors Sacrés (Japon), 1981 (pour le
développement de l'industrie automobile).
Grand Officier de la Légion d'Honneur (France), 1984.
Admis à l'Automotive Hall of Fame (USA), 1989.
Grande Croix de l'Ordre de Léopold II (Belgique), 1990
(pour sa contribution à l'amélioration des connaissances
culturelles japonaises et belges à travers ses efforts en tant
que Président du festival d'arts Europalia 1989).
Médaille d'or de la FIA (France), 1990 (pour services
rendus à la Formule 1).
Prix « MIC Key » (États-Unis), 1991 (pour sa contribution au développement et à la santé de l'industrie moto).

Membres des Sociétés Professionnelles suivantes :
1949 : membre distingué de la Société Japonaise des
Ingénieurs Mécaniciens.
1972 : membre honoraire à vie de la Société Américaine
des Métaux.
1975 : Sénateur, Institut Japonais de l'Invention et l'Innovation.
1978 : membre de l'Académie d'Entrepreneurs Distingués
par le Babson College (États-Unis).

Activités Civiques, dans la Communauté et le Service
Public :
1967-80 : Vice-Président de l'Association Japonaise de
Constructeurs d'Automobiles.

SOICHIRO HONDA

1972 : Directeur du Comité de Support de l'Association des auberges de jeunesse à Tokyo.
1978 : membre du Conseil d'Administration des Scouts Japonais.
1979 : Vice-Président de la Chambre de Commerce et de l'Industrie Japonaise.

Famille :
Père : Gihei Honda (forgeron).
Mère : Mika Honda.
Soichiro Honda fut l'aîné de 5 enfants.

Épouse : Sachi Honda.
Enfants : Keiko (fille 7/10/1936).
Chikako (fille 29/10/1940).
Hirotoshi (fils 12/4/1942).
Katsuhisa (fils 2/9/1948-4/3/1973).

REMERCIEMENTS

Jamais ce livre n'aurait pu voir le jour sans l'aide de Charles Ronsac, mon éditeur, et de tous ceux qui ont pris le temps de s'entretenir avec moi pour replonger dans leurs souvenirs :

M. Nobuhiko Kawamoto, président and Chief Executive Officer de Honda Motor Co Ltd

M. Hirotoshi Honda, président de Mugen Co Ltd

M. et Mme Masaru Unno

M. Claude F. Sage, président de Honda Automobiles (Suisse) SA

M. Jacques Derisbourg, directeur général de Honda France

M. Gérard Crombac

M. Bernard Cahier

M. Yoshio Nakamura

M. Jean-Louis Guillou, responsable compétition moto HME

M. Ayrton Senna

M. Alain Prost

M. Jean-Claude Chemarin

M. Ron Bucknum

M. Guy Ligier

M. Christian Polak, président de KKSERIC (Tokyo)

REMERCIEMENTS

Merci à tous ceux qui m'ont ouvert les portes de l'univers Honda et de ses archives :

M. Shojiro Miyake, président de Honda Motor Europe et ancien secrétaire de la Fondation Honda

M. Kazue Ito, vice-président de Honda Motor Europe

M. Hisao Suzuki, Managing Director de Honda R&D Co Ltd

M. Shohei Hayakawa, General Manager Manufacturing Division à l'usine de Suzuka

M. Taizo Ueda, Advisor de la Fondation Honda

M. Masaru Inoue, manager des relations publiques de Honda Motor

M. Atsushi Nomura, manager des relations publiques de Honda Motor

M. Kaoru Tanaka, senior staff des relations publiques de Honda Motor

Miss Sanae Murata, membre du staff des relations publiques de Honda Motor

M. Akio Adachi, directeur général adjoint de Honda France

M. Claude Hugot, responsable du service de presse automobile de Honda France

Mme Pascale Liger, assistante à la présidence de Honda France

Ainsi que tous les personnels du Aoyama Center de Tokyo et des usines de Suzuka, Tochigi et Hamamatsu.

Merci également aux documentalistes et traducteurs/interprètes :

Mme Nagisa Todoroki, président de En Clair Inc. (Japon)

Mme Rika Fujita David, interprète chez Honda Kaihatsu Kogyo Co Ltd (Japon)

Mme Mitsue Himori-Lejan, interprète (Paris)

Miss Mariko Chino (Paris)

M. Antoine Getten et le staff de traducteurs de la société « Translations » (Paris)

MONSIEUR HONDA

Mme Yolande Pellerin, documentaliste (Paris)
Mme Sophie Garanger, Radio Télé Presse Concept (Tokyo et Paris)
M. Philippe Meunier

Interviews, voyages, recherches de documents introuvables et autres problèmes de logistique n'auraient pu se résoudre sans la complicité de :
MM. Pierre Dugue, Michel James et Philippe Devrean de « Circuit 53 »
L'équipe du service de presse de l'Automobile-Club de l'Ouest
Bouzy Voyages (Paris)
M. Jean-Claude Baumgarten, directeur d'Air France (Paris)
M. Patrice Gaulupeau, Locomotiv TV
Les rédactions de *Sport Auto*, *Moto Journal* et *Moto Revue*
Le service de presse de la FISA
Miss Béatrice Assumpcao, assistante personnelle de M. Ayrton Senna
Mme Agnès Carlier, Philip Morris International (Lausanne)
Les archives d'*Asahi Journal Weekly*, *Tokyo Nichinichi Shimbun* et *Asahi Shimbunsha* (Tokyo)

Et enfin, mes séjours au Japon n'auraient pas eu le même charme sans la complicité et l'amitié de Françoise Moréchand et Tatsuji Nagataki.

TABLE DES MATIÈRES

Achevé d'imprimer le 9 mars 1993
sur presse CAMERON
dans les ateliers de B.C.A.
à Saint-Amand-Montrond (Cher)
pour le compte des éditions Robert Laffont
6, place Saint-Sulpice - 75279 Paris Cedex 06

Dépôt légal : avril 1993.
N° d'édition : 34596. N° d'impression : 113-93/131.